# 高等院校教学督导队伍专业化发展研究

主　编　向凯全　姜东昕

哈爾濱工程大學出版社
Harbin Engineering University Press

## 内容简介

专业化的教学督导队伍是保证高等院校教学质量的有力支撑。本书围绕高等院校教学督导队伍专业化发展这一课题,在总结已有理论成果的基础上,介绍了国内外教学督导队伍专业化发展概况,构建了教学督导队伍专业化素质模型,形成了较为完善的教学督导队伍专业化培训体系,建立了专业化发展的制度机制和环境,设计了教学督导队伍专业化建设实践路径,有效提升了教学督导队伍能力水平和教学督导质量效益,并结合当前教学督导队伍专业化发展趋势,对教学督导队伍专业化建设提出了展望。

本书为高等院校教学督导队伍专业化发展提供借鉴,可供相关人员参考。


**图书在版编目(CIP)数据**

高等院校教学督导队伍专业化发展研究 / 向凯全,姜东昕主编. — 哈尔滨 :哈尔滨工程大学出版社,2024.4

ISBN 978-7-5661-4324-2

Ⅰ. ①高… Ⅱ. ①向… ②姜… Ⅲ. ①高等学校-教育视导-研究-中国 Ⅳ. ①G647

中国国家版本馆 CIP 数据核字(2024)第 055387 号

**高等院校教学督导队伍专业化发展研究**

GAODENG YUANXIAO JIAOXUE DUDAO DUIWU ZHUANYEHUA FAZHAN YANJIU

**选题策划** 田 婧
**责任编辑** 暴 磊
**封面设计** 李海波

---

**出版发行** 哈尔滨工程大学出版社
**社　　址** 哈尔滨市南岗区南通大街 145 号
**邮政编码** 150001
**发行电话** 0451-82519328
**传　　真** 0451-82519699
**经　　销** 新华书店
**印　　刷** 哈尔滨市海德利商务印刷有限公司
**开　　本** 787 mm×1 092 mm 1/16
**印　　张** 9
**字　　数** 148 千字
**版　　次** 2024 年 4 月第 1 版
**印　　次** 2024 年 4 月第 1 次印刷
**书　　号** ISBN 978-7-5661-4324-2
**定　　价** 39.80 元

http://www.hrbeupress.com
E-mail:heupress@hrbeu.edu.cn

# 编　委　会


**主　编**　向凯全　姜东昕

**副主编**　殷建玲　黄　鹏　彭　祺　齐子元

秦　岩　王　路　刘　楠

**参　编**　王昌盛　李　华　李志勇　李　楠

张　英　陈智博　曾春花

# 前　言

建设有中国特色的现代高等教育评估制度，聚焦创新高等教育评估体系设计、重构评估技术和评估指标体系、强化高校内部文化建设、建立以评促建的长效机制，是深化高等教育体制机制改革、提升教育教学水平和人才培养质量的重要着力点。教学督导工作是院校教学质量保证体系的重要组成部分，对稳定教学秩序、规范教学活动、培养教师队伍、深化教学改革、提高教学质量等有重要作用。

一支思想品德高尚、业务能力突出、工作作风过硬的高素质专业化教学督导队伍，是高等院校教学质量保证体系有效运行的强力支撑。在多年的院校教学督导工作实践中，我们围绕教学督导队伍能力建设这一现实课题展开研究，构建了教学督导队伍专业化素质模型，建立了专业化发展的制度机制和环境，并在此基础上开展了教学督导队伍专业化建设实践，有效提升了教学督导队伍能力水平和教学督导质量效益。

全书内容共六章。第一章“教学督导队伍专业化发展概述”，阐述了教学督导队伍专业化发展的概念，介绍了国内外教学督导队伍专业化发展概况，界定了军队院校教学督导队伍专业化的概念内涵。第二章“教学督导队伍专业素质体系”，界定了教学督导队伍的角色定位，提出了教学督导队伍专业化素质的基本构成，构建了教学督导队伍专业化层次架构模型，并对模型进行了解析与运用。第三章“教学督导队伍专业化培训体系”，设计了专业化的培训内容，提出了多种类型的培训方式和培训考核模式，形成了较为完善的教学督导队伍专业化培训体系。第四章“教学督导队伍专业化制度建设”，提出了教学督导队伍的遴选机制、管理机制、考核机制、激励机制，为教学督导队伍专业化建设提供了制度保证。第五章“教学督导队伍专业化发展机构与环境建设”，介绍了国内外大学教学督导队伍专业化发展机构与环境建设的现状，构建了建设模型，并设计了建设路径。第六章“高等院校教学督导队伍专业化发展展望”，结合当前高等院校教学督导队伍专业化发展趋势，对教学督导队伍专业化建设提出了建设机制完善、业务能力突出、作用发挥显著的展望。

本书由向凯全、姜东昕主持编写。第一章由彭祺、王昌盛负责；第二章由姜东昕、齐子元、李楠负责；第三章由殷建玲、刘楠、曾春花负责；第四章由向凯全、黄鹏、张英负责；第五章由秦岩、李华、李志勇负责；第六章由王路、陈智博负责；全书由向凯全、姜东昕统稿。

本书在编撰过程中，引用和参考了国内外相关文献资料，统一在书后“参考文献”中列出，在此向相关专家、学者一并致谢！由于编者水平有限，书中难免有不足之处，敬请广大同行和读者批评指正。

编　者

2023 年 11 月 18 日

# 目　　录

# 第一章　教学督导队伍专业化发展概述

当今国际社会的竞争，归根结底是人才的竞争。人才的培养需要通过学校的教育教学活动来实现。2018 年全国教育大会的召开，标志着我国高等教育进入内涵式发展新阶段，高等教育的发展面临着新使命、新任务，而提升办学育人质量是我国高等教育当前的核心任务。面对新形势，教学督导工作作为教学质量监控体系的重要组成部分，在稳定教学秩序、规范教学活动、培养教师队伍、深化教学改革、提高教学质量等方面发挥着重要的保障作用。

高校的教学督导工作是否能取得应有的效果，能否切实推动教学质量的提高，取决于教学督导队伍的能力素质，特别是其专业化水平。教学督导队伍专业化是指一名普通教育工作者教学督导的专业道德、专业知识和专业能力不断提高、内化，从一名教育工作者成长为一名专业教学督导人员的过程。教学督导队伍专业化发展是建立一支高素质的权威督导队伍的有效途径。高校教学督导队伍要更好地履行职责使命，必须加快其专业化建设，努力提高队伍的专业素养和能力，促进教学督导队伍的专业化发展。本章先从概念解析入手，再介绍国外教学督导专业化发展概况，以及我国地方和军队院校教学督导队伍专业化发展概况。

## 第一节　概念解析

概念是反映事物本质属性的思维形式，经感性认识上升到理性认识。为阐明本书所涉及的概念的内涵与外延，厘清其与其他相关概念之间的关系，要先对本书涉及的概念加以解析。

## 一、专业化

### （一）专业

社会学家布朗德士指出："专业是一个正式的职业。为了从事这一职业，必要的上岗前的训练是以智能为特质，包括知识和某些扩充的学问，它们不同于纯粹的技能；专业主要供人从事为他人服务而不是从业者单纯的谋生工具，因此，从业者获得的经济回报不是衡量他职业成功的主要标准。"

可见，专业不仅涉及纯粹的技能，还是以智能为特质；不仅是谋生的工具，还主要是为他人服务。

1948 年，美国教育协会提出了"专业"的八项标准：

(1)含有基本的心智活动；

(2)拥有一套专门化的知识；

(3)需要长时间的专门训练；

(4)需要持续的在职成长；

(5)提供终身从事的职业生涯和永久的成员资格；

(6)建立自身的专业标准；

(7)服务高于个人利益；

(8)拥有强大的、严密的专业团体。

1989 年，美国学者科尔文等人进一步提出："凡是称得上一门'专业'的，必须是为公众服务，可以成为终身投入的事业；具有专门的知识和技能，非一般人可以轻易获得；能够投入大量的精力进行研究并将理论应用于实践中；有足够长的专业受训时间；对工作和顾客负责并注重服务质量。"

从以上定义可知，"专业"具有以下特点：第一，"专业"应该是正式的"职业"，有明确的职业要求和工作规范；第二，"专业"有一套专门化的知识和技能，具有不可替代性，因此，专业人员要有严格的资格准入制度；第三，专业人员需要持续的在职成长，因此应建立持续的专门教育和培训制度；第四，专业人员要进行理论研究并将其应用于实践，体现出专业判断力和自主权；第五，"专业"提供的是基于专门知识的特定服务，该服务要满足顾客的需要，注重服务质量。

根据“专业”的特点可以看出，“专业”不同于“职业”，“专业”是正式的“职业”。“职业”是参与社会分工，利用专门的知识和技能，为社会创造物质财富和精神财富，获取合理报酬，以其作为物质生活来源，并且满足精神需求的工作。“专业”则强调专业人员应具备道德理想，为社会提供基于专门知识的特定服务，不以报酬多少作为衡量成功与否的标准，而是将对社会利益和社会责任的追求放在第一位，如医生要追求健康、律师要追求公正。可见，“专业”是行业分工、职业分化到一定阶段的产物，是社会进步的一种标志。“专业”既是一种职业，又是一种谋生的手段，更是一种追求对社会做出贡献的工作。并非所有的“职业”都能成为“专业”，“职业”最终能否成为“专业”与其社会认可度密切相关，只有从部分职业群体中分化出来，并被社会认可的“职业”才称为“专业”。

### (二)专业化

与“专业”密切相关的是“专业化”。“化”在现代汉语中多作为词的后缀使用，表示转变为某种性质或状态，如“美化”“强化”“数字化”“标准化”等。“专业化”是一个社会学概念，其含义是指一个普通的职业群体在一定时期内，逐渐符合专业标准、成为专门职业并获得相应的专业地位的过程。

法国社会学家埃米尔·涂尔干指出：“在高等社会里，我们的责任不在于扩大我们的活动范围，而在于使它们不断集中，使它们朝着专业化的方向发展。我们必须划定我们的范围，选择一项确定的工作，全心全意地投入进去。”随着社会的发展，人们的分工越来越细化，从事的工作不断地朝着专业化方向发展。

在某一个职业逐步专业化的过程中，一些标志性的专业标准也会逐步形成。美国社会学家霍尔曾对现代工业的17个行业进行调查，指出专业化有如下特征：

(1)掌握理论知识；

(2)解决问题的能力；

(3)实践知识的运用；

(4)为了明察事理而进行超越专业的自我进修；

(5)在基本知识和技术上的正规教育；

(6)给胜任工作者授予证书或其他称号；

(7)创建专业的亚文化；

(8)合法地强化专业特权；

(9)公众对某种独特角色的认可；

(10)处理各种问题时合乎伦理的实践和程序；

(11)对不合标准的行为予以惩处；

(12)与其他行业的联系；

(13)与用户的关系。

以上特征表明，专业化是职业化发展的结果。专业化必须是一个普通职业经过一段时间的成熟完善，逐渐达到专业标准，并能够在社会上获得一定专业地位的过程。专业化除了掌握理论知识、运用知识解决问题外，还必须在基本知识和技术上有正规的教育，并且给胜任工作者授予证书或其他称号。它一方面强调要确立专业化的地位；另一方面要建立与之相应的衡量标准。因此，专业、规范、系统可以说是专业化的重要条件。“专业化”具体包括：专业的体系化知识，形成专门的专业标准，有社会公认的专业团体，具备专门的培训机构和相关培训课程，有专门的资格认证制度和管理机构等。

专业化应是一个持续发展变化、内涵不断提升的过程，即从业人员的专业知识得到丰富，专业技能得到提升，专业道德得到规范，获得一定的专业地位，符合专业标准，并逐步达到专业成熟。

## 二、教学督导队伍专业化

教学督导队伍专业化是教学督导工作专业性的内在要求，同时也是教育事业本质属性的基本要求。美国学者赛克斯曾指出：“所有的教育类职业都力求专业化，并倾向于在专业化策略上相互借鉴。”为提升督导效益，更好地发挥作用，教学督导工作也力求专业化，其重点是教学督导队伍的专业化。

讨论教学督导队伍专业化之前，我们有必要先分析教育督导和教学督导两个概念。二者既相互联系，又相互区别，在研究和分析相关问题时常常容易混淆，在此对二者的概念加以区分。

## （一）教育督导和教学督导

### 1. 教育督导

“教育督导”一词的出现是远远早于“教学督导”的。美国教育督导学者爱德华·潘杰克认为：“教育督导应包括全面领导、权力下放、调动激发、社区关系、在职进修、规划变革、交流沟通、课程设置、教学组织、后勤服务、指导教学、自身进修等众多范围。”我国国家教育委员会于1991年发布的《教育督导暂行规定》第一章第二条指出：“教育督导的任务是对下级人民政府的教育工作、下级教育行政部门和学校的工作进行监督、检查、评估、指导，保证国家有关教育的方针、政策、法规的贯彻执行和教育目标的实现。”由此可见，教育督导是指各级人民政府授权给所属的教育督导机构和人员，代表本级政府及教育行政部门对下级人民政府的教育工作，以及下级教育行政部门的工作和学校的工作，依据国家的有关方针、政策、法规，按照督导的原则和要求，通过教育督导部门报告教育工作情况，提出建议，为政府的教育决策提供依据。教育督导实质上是一种行政监督和管理的重要职能，是国家对教育实行监督和指导的有效机制与有力手段，也是现代教育管理体系必不可少的重要组成部分。

### 2. 教学督导

与教育督导不同的是，教学督导多为院校内部的、旨在提升教学质量的活动，是由教学督导机构和教学督导人员依据教学管理制度和教学质量监控措施，对本校内部的教学活动进行检查监督、诊断评价、指导帮助、信息反馈的一项工作，是学校为了全面贯彻国家的教育方针、保证教学质量、促进学校发展而进行的一种针对教学工作的“督”与“导”的活动。

1922年布尔顿在《督导与改进教学》一书中将“教学督导”定义为一个为改进教师的教学而进行的有组织的活动。1974年，布里格斯在《改进督导之训练》中写道：“督导，能够促使教师更加卓有成效地贡献与教学，是鼓励并引导教师自我成长、持续努力的系统。”

根据以上理解和解释，我们认为教学督导包括以下三层含义：其一，教学督导是督导人员的行为；其二，教学督导的督导主要任务是对教学工作进行监督和指导；其三，教学督导的基本出发点是为了提升教学质量。

可见，“教育督导”和“教学督导”在督导对象、督导内容、督导依据等方面都不尽相同。首先，从督导对象上看，教育督导的督导对象是政府和学校，教学督导的督导对象是教师、教学和学生管理单位；其次，从督导内容上看，教育督导的督导内容包括负责教育工作的政府工作人员、学校领导者和管理者、教师、学生、社会教育工作者，教育经费的拨付和使用情况，教育政策的执行情况，以及学校办学、教师教学和学生学习情况等，而教学督导的督导内容包括教师教学质量、教学管理工作、各类教学活动、学生学习情况等；最后，从督导依据上看，教育督导的督导依据是教育的科学理论、教育法规和教育政策，教学督导的督导依据则是具体、合理、可行的教学督导评估指标体系。因此，教育督导是一种专业的教育活动，教育督导人员是指取得了相应法定资格，承担相应的督导权利与职责的人员，一般称为“督学”。教学督导可视为教育督导的一类，是主要针对教学工作进行督导的教育活动，一般由院校聘任本校或校外的专家教授担任。

总之，教育督导和教学督导既相互区别又相互联系。有学者认为教学督导可以看作教育督导的重要形式和特殊内容。美国的教学督导也是从教育督导逐渐发展和演变而来的，在美国的教育督导系统中，教学督导是其中最主要也是最有特色的部分，其教育督导工作由最初侧重行政管理逐渐转变为侧重改进教学，教师是督导重点，教育督导逐渐演化为教育辅导，即教学督导。另外一些学者则认为教育督导和教学督导是我国督导制度的两种形式，认为教学督导不同于教育督导，属于学校的内部行为，是学校为保证教学质量，对教学活动采取的一系列措施。虽然对于教学督导的认识存在一定分歧，但实施教学督导的目的是相同的，即提高教学质量。本书主要针对高校教学督导队伍专业化发展进行探讨。

### (二)教学督导队伍专业化

教学督导机构不仅是教学质量的监督部门，而且是一个咨询与参谋部门。通过深入教学一线听课、评课，督导人员对教师的教学态度、内容、方法、手段、艺术，以及课堂教学秩序、教书育人效果等进行督导。听课后，教学督导人员针对任课教师的授课情况进行面对面的交流，肯定成绩，指出不足，并提出改进意见。通过教学督导工作，对教师产生正向激励，使之不断改进教学，促使教师增加在教学方面的精力投入。同时，教学督导人员可凭借丰富的教学经验，将教学督导工作中掌握的第一手资料进行综合、分析、处理和总结，作为领导、机关在教学改革与决策方面的重要依据。

显而易见，教学督导作用的发挥对高校教学水平、教学管理、教学质量的提高等都有着重要影响。只有提高教学督导工作的规范化、科学化、专业化水平，建设高素质专业化教学督导队伍，才能为高校教学质量的提升做好保障工作。专业化既包括一门职业依据专业标准逐渐向专业发展的过程，也包括从业人员通过不断学习提高专业素质，从而向专业化趋近的过程，本书侧重探讨教学督导队伍的专业化发展过程。

管理学大师哈罗德·孔茨在《管理学》一书中也谈道："为工作岗位挑选最佳人选只不过是组成一个有效队伍的第一步。即使在招聘和选拔过程中做出巨大的努力，也不能忽略对新人被雇佣后的要求。"同样，对于教学督导工作而言，组建督导队伍仅仅是第一步，更为重要的是要通过多种形式手段促进教学督导队伍专业化。随着信息化技术的不断发展及知识的不断更新，教学督导人员逐渐认识到仅靠个人知识经验已不能满足督导工作需求，需要不断学习新知识以应对已有知识的老化，逐渐提升专业化所需的素质。然而，专业素质只有在工作及实践过程中才能有效习得。

总之，不断提高教学质量是高校教育发展战略中永恒不变的主题，也是高校在激烈的市场竞争中生存和发展的生命线。然而面对高等教育大众化发展的新形势，要提高我国高校的教学质量、保障高校的稳定与发展、提升我国高等教育在国际上的地位与荣誉，高校就要尽力提高教学督导人员的素质和专业化水平，不断使教学督导的工作做到位。因此，加强教学督导专业化建设，促进教学督导队伍专业化发展，提高高校教学质量的竞争实力是必然的举措。

## 三、教学督导队伍专业化发展

发展是指事物由小到大、由低到高、由简单到复杂的变化。教学督导队伍专业化发展是指教学督导队伍专业化水平不断提高的过程，即一名普通教学工作者的教学督导专业道德、专业知识、专业能力不断得到提高、内化，成长为一名专业教学督导人员的过程。由于现代社会科技进步、知识信息更新加快，教学改革不断深入，高校督导队伍仅基于自身的教学经验和固有的教学理念开展教学督导工作是远远不够的。需通过自身的专业化发展提高自己的教学理论修养、督导业务能力等，并以终身学习思想贯穿整个教学督导工作，以更公正、客观、科学的态度来评价教师的教学质量，以更加先进的理念指导教师的教学。

一般来说，教学督导队伍专业化发展的内涵包括能够胜任高校教学督导工作所必需的、相对稳定的综合素质，如道德素养、政治素养、业务水平和工作态度等。其素质结构应该是一个开放的体系，既包括不断提高的思想道德素质、个性心理素质和专业素质，也包括其吸收科学研究的新成果、增强督导工作的科学性和时代特色的创新素质，以及说、教、评、写、研等开展督导工作的能力素质。

总之，高校教学督导工作要求教学督导队伍具备较高的专业素养和全面的综合素质，而这些专业化素质的培养和提升并非一蹴而就，而是需要一个不断学习、不断积累、不断运用强化的过程，才能全方位促进自身的专业化发展，并以最专业的知识和最科学的手段促进高校教学质量的提升。

## 第二节　国外教学督导队伍专业化发展概况

### 一、美国教学督导队伍专业化发展

美国的教学督导是在教育督导的基础上逐渐发展产生的，是一个不断专业化的过程。其教育督导工作始于1800年，在200多年的时间里，督导工作的专门化程度逐渐提高，督导理论也逐步成熟。

早期的教育督导是一种行政性督导，其目的在于检查和考核下属人员工作的优劣，监督教育经费的筹措和使用等。从“美国革命”一直到19世纪中期，教育督导一直遵循外行监管与督导的传统。当时的视察与指导往往由非专业人员进行，对改进教学并无重大意义。随着教育的发展，专业性的教育督导工作也逐步发展。19世纪中期，地方学区建立了学监制，由专业人员协调和指导地方教育事务，确立了专业人员在教育中的领导地位。与过去非专业性督导工作相比，此时教师能够随时接受专业性的辅导，及时改进教学工作。20 世纪三四十年代，教育家们进一步认识到，专制的监管与督导做法不再可行，他们敦促将更加科学和专业的方法运用于学校的教学督导实践。20 世纪 90 年代的教学督导受到民主方法的影响，尤其是进入 21 世纪以后，检查式督导不复存在，督导人员需要具备专业的知识和技能以应对 21 世纪的挑战。

为确保教育、教学督导工作的专业性，美国在督导队伍专业化发展方面主要采取了以下策略。

### （一）严格设定督导人员任职资格标准

美国教育行政部门对教育督导人员任用的资格标准相当高，各州均建立了督导人员证书制度，对专业、学历、经验均有很高要求，所以美国的督导人员都拥有硕士或博士学位，有教育工作经历。申请人须持有督导人员证书，才有资格应聘督导人员岗位。对于取得专职督导人员证书而言，各州规定各不相同，但大体都包括学历、经验、专业和年龄四项基本内容。最常见的规定是必须有硕士学位，修习过课程、教育督导等科目，并有三年以上的教学经验。

美国不仅对督导人员任职资格的专业性要求较高，同时强调通过职业进修维持证书的有效性，来保持督导人员较高的专业水准。以纽约市 2006 年 9 月开始施行的相关规定为例，学区督导长任职资格证书包括如下要求：

（1）拥有硕士学位；

（2）具有至少三年教学或其他学生工作经验；

（3）至少修习 60 学时的管理课程，其中 24 学时必须是学区管理或督导课程；

（4）完成学区领导培养计划项目；

（5）有过担任领导的经历，包括至少 15 周全职学区督导经历（或同等经历）；

（6）在认可的机构内完成教育督导实习；

（7）通过纽约州学区领导资格评价；

（8）每五年完成 175 小时的职业进修以维持资格证书水准。

除了专业训练、工作经验方面的要求外，对专职督导人员的知识结构、技能水平和性格特点也做了特别的规定，具体包括：要求督导人员具有广博的知识和多方面的技能，如熟悉学校开设的各类课程；掌握教法方面的广泛知识和技能；能帮助教师分析教材的利弊，能指导教师备课、编写教学指南；能使用各种现代教学手段；熟悉测量与评估原理、方法和程序；懂得教育研究方法；知道如何组织教师在职培训活动。在性格方面，要求专职督导人员应善于与人交流沟通，待人热情、友好，既有耐心又富于幽默感，具有献身精神和为他人服务的精神，同时又善于说服他人，不断为改进学校工作提出新的设想，还应会创造民主的工作环境，善于与教师合作，使教师能心情舒畅地改进教学。

美国教学督导之所以能够在教学领域发挥重大作用，与其严格的准入制度、对督导人员任职资格的高要求是密切相关的。

### （二）建立健全督导队伍培训机制

获得资格证书是申请督导职位的前提条件，美国教学督导人员还必须通过不断进修和参加各类培训来维持已获证书的有效性，所以其从业人员专业化水平在发达国家中也是位居前列的。

美国教学督导界认为，教学督导员不应对自己的专业发展感到自满，只忙于指导教师的专业发展而忽视了自身的提高，而是应通过培训、进修等专业化发展途径不断提升自身的能力素质。美国教学督导人员的专业化进修方式有很多种，可通过参加一些由教师教育协会和专业协会发起的研究讨论会来进修，也可以参加全国、州专门为督导人员提供服务的协会组织的活动，如课程发展和督导协会、全国人事发展理事会等。督导人员还可通过建立自己的专业图书馆、经常阅读专业期刊、访问专业组织的有关网站等来提升自身水平。

在督导专业素养方面，对专职督导人员要求有职前训练，各州基本都要求专职督导人员具备教育行政、教育督导、教育心理、教育测量和评估、教学法等方面课程的学习经历，并须参加过教育督导方面的实习和专业训练。

总之，美国的教育督导、教学督导在实践和理论两方面都经历了一个不断完善的发展过程。督导从非专业性工作发展到专业性工作，教学督导队伍的专业化水平也不断提高。

## 二、英国教学督导队伍专业化发展

有关英国教学督导队伍专业化发展研究的文献资料比较有限，但对英国教育督导的讨论较为系统深入。英国是世界上最早建立教育督导制度的国家之一，其督导队伍专业化发展方面的具体做法对我国教学督导专业化发展有重要的借鉴意义，下面进行简要介绍。

### (一)英国教育督导的概况

早在1839年，英国政府就根据当时的教育法案设立了皇家督学团，开始了对教育的督导。根据相关研究，英国教育督导制度的发展分为三个阶段。

1. 初创阶段(19世纪30年代至19世纪末)

1839年，英国枢密院教育局第一任局长J. P. 凯提出“应该任命学校督学”，以及“今后资助学校都要首先进行检查、访问”。同年，英国政府首次任命了两名皇家督学，即J. 艾伦和H. S. 特曼赫尔。1870年，英国颁布《初等教育法》，教育科学部设督导处。英国的督导制度是从初等教育开始的，注重师资培训，重视对教育经费的监督和检查，但督学的职能范围还比较狭窄，以检查为主。

2. 形成阶段(19世纪末至第二次世界大战前)

英国国家教育督导机构在这一阶段不断强化，在中央建立了督导制度，在教育和科学部设置了督导司，负责全国的教育督导任务，对地方的教育行政部门进行指导，了解并掌握学校的教育状况。1898年，教育局在督学工作指示中提出了新的要求：“督学不应再以正规考试的程序进行工作。对学校的视导主要包括对教学方法的观察，提出的问题应限于探讨这些方法在多大程度上是成功的。”同时，教育督学职能的另一变化是督学开始影响课程发展。这一时期，督学团的职能进一步扩大，从以检查为主向专业指导方向发展。

3. 发展完善阶段(第二次世界大战后至今)

第二次世界大战后，教育改革频繁，督学紧密配合教科部的工作，及时了解情况，提出许多建设性建议，保证各项改革的顺利进行。他们的工作在很大程度上是专业性的，而不是管理性的。《1988年教育改革法》对督导体制进行了相应的改革。1992年，英国颁发了《家长法案》《市民法案》，国家教育督导机构单独行使职权。《1992年(学校)教育法》公布了新的教育督导制度方案。2003年，新的《学校督导大纲》开始施行，改变了学校的督导系统，教育督导工作更加完善。

在180多年的发展过程中，英国的教育督导制度不断完善，督导工作的内容也从最初以检查为主向专业指导方向发展，对督导队伍的专业化要求也越来越高。

### (二)英国督导制度的特点

英国教育督导制度经过不断发展完善，目前已形成了一套中央高度集权、相对稳定且比较成熟的教育督导制度，在强化教育管理、促进教育发展中发挥着重要作用。其督导制度具有以下特点。

1. 选拔的公开性

英国督学采用公开招聘的形式，具有严格的选拔程序和培训制度。督学这一职务有很大的吸引力，但要想当一名督学并非易事。督学引入竞争机制，公开选拔，只要符合条件就可报名，择优录取，最后得到任命的只是最初申请者中的极少部分。督学的基本素质要求包括六个方面：一是在某一专业学科领域中有一流的知识储备，至少具有大学学历，能在实际工作中同时视导两方面的工作；二是对专业范围以外的教育领域有广泛兴趣，了解教育改革与发展的基本情况和最新趋势；三是具有某种教学经验和出色的教学能力，至少要有10年以上的教龄；四是具备良好的个性品质，包括敏锐的洞察力、较强的亲和力、广泛的社交能力和耐心说服对方的能力等；五是具备熟练处理文字工作的能力；六是具有迅速适应新环境的能力，并且要有健康的身体素质。督学作为监督、帮助和影响教育行政部门、学校及教师的专家，对其素质要求是很高的，符合要求的人选又是经过一整套严格、公正的程序筛选出来的。在这方面，英国督学团为我们提供了宝贵的经验。

2. 培训的实用性和规范性

候选人被录用之后，并不能立即被任命为正式督学，还必须经过一段时间的培训和见习。培训包括岗前培训和岗位培训，英国教育标准局有专门负责督学培训的小组，负责制订督学培训计划，监督培训质量。培训性质主要是入门学习，学习内容比较全面，包括宏观教育体制，教育管理制度，教育标准局的组织机构，教育行政与教育督导的关系，教育督导的职责范围、方式方法，以及视导报告的撰写等。被录用者在经过一段时间的入门学习后，即转入为期一年的见习期。见习期结束后，地区主任督学要向总督学和主任督学呈递见习鉴定报告，符合条件的报请女王任命为正式的皇家督学。

3. 教育督导法制化

英国于1996年通过了《学校督导法案》，1998年通过了《学校标准与框架法案》。这两部法案对英国督导评估的管理方法、实施细则、评估结果的应用及评估质量的监控，都做出了明确的规定，是指导英国督导评估工作的法律纲领性文件。另外颁布的《学校督导大纲》《督导手册》等法规性文件，对开展学校督导工作进行了详细的指导。

4. 督学的社会地位和待遇高

皇家首席督学的工资相当于大学校长，督学的工资相当于小学校长和副校长。

以上简要介绍了英国教育督导的发展历史及其督导制度的特点，一些观点、措施或可对我国教学督导队伍专业化发展有一定参考价值。迈入21世纪，英国建立了“资格与学分框架”(The Qualifications and Credit Framework，简称QCF)体系，QCF教学督导随之出现。

### (三)英国QCF教学督导队伍专业化发展

2003年，英国开始构建应用QCF体系，它是由英国资格与考试中心制定、面向各种职业类型的、通过学分授予进行技能与资格认证的体系。

在QCF体系中，为了达到提高教学质量、保证人才培养质量的目的，健全教学督导体系、实现督导工作的良性运行成为必要环节，教学督导成为英国QCF体系发展中的必然产物。由于英国QCF教学督导要面临多种重要角色的转化，这就要求其必须具有一定的专业性和较高的督导修养，以保障督导活动有效进行。

在QCF体系中，督导人员工作的重点内容是督导教学，如日常听课、评课、实践检查和教学监控等。教学督导要根据教学工作的需要，针对具有普遍性、突出性的问题开展督导工作，从教师授课与备课、教案、课堂组织、考试命题、试卷评阅到课堂教学与技能训练等多个方面进行检查评估。此外，

QCF教学督导还督导教学管理，通过指导学校的教学和文化建设，对学校教育提出权威性、专业化的改进建议。为此，督导人员需要提高对教学规律、课程改革、人才培养方式的认知。因此，加强对专业化督导人员的培养，提高队伍的专业化素养，是促进教育发展和提升教学质量的关键。

从督导队伍专业化发展的角度来看，QCF督导有明确的从业标准，进入督导行列有严格的资格限制，督导人员都是经过严格选拔而聘用的。同时，督导人员需接受严格的专业训练，为此，英国政府和相关培训机构设置了基本的督导课程，通过组织开展有关教育政策、法规、督导等方面的培训，加强督导人员的专业训练，并且十分重视实践操作的训练。督导人员在掌握相应的专业知识和专业技能后，只有通过严格的考核确认并获得专业资格证书，才能持证上岗。一般上岗前要接受120小时的培训，包括学习文件、学习评估的步骤和方法，以及完成有关作业等。培训十分重视实践环节，主要内容有四个方面：一是如何做好督导评估的准备工作；二是如何对教师的教学过程进行评估；三是如何对收集到的信息进行分析整理；四是如何写督导评估报告等。此外，QCF教学督导队伍的专业性还体现在三个方面：一是要关注QCF督导工作本身的性质，督导职业内部的合作方式；二是QCF督导员要将自身所掌握的知识技能与工作职责相结合；三是QCF督导员应深入研究督导制度的性质、机制、内容、方法、程序和技术，提升专业理论成熟度，进一步深化对QCF督导制度的认识，探索适合英国QCF制度的质量保障机制。

## 第三节　我国教学督导队伍专业化发展及趋势

我国的教学督导是在20世纪90年代我国基础教育的教育督导和研究发达国家的督导经验的基础上发展起来的。到目前为止，高校都有各自的教学督导机构在开展工作，不少学者从不同方面对教学督导进行了探讨，包括对教学督导概念的界定、教学督导制度建设、教学督导地位作用、教学督导队伍建设、教学督导现状及存在问题等内容的研究。此外，一些学者也对教学督导专业化发展提出了自己的看法。

## 一、我国教学督导专业化发展概况

### (一)我国的教育督导和教学督导

1. 我国的教育督导

由于教学督导是从教育督导发展而来，因此，想要了解我国高校教学督导的历史沿革，要先了解我国教育督导的历史。

我国教育督导可谓历史悠久，最早可以追溯到周朝，当时称为“视学”。战国后期的《札记·学记》中，有“天子视学”“王亲视学”的记载。汉代以后由天子视学扩大到“学官视学”“王亲视学”。隋唐时期在中央有国子监祭酒，在地方有长史吏官等负责视学。宋代开始建立教育视察监督机构，并设有专门官职。明代视学逐渐形成制度，设提学官，亲自巡视各类学务。清初各省原设提督学道，雍正年间改称提督学政，负责管理一省学政事务。我国完整的教育督导制度是在清朝末年建立起来的。1909 年，清政府颁布了《视学官章程》，这是中国近代史上第一个有关教育视导的文件，但当时开展的教育督导活动较少。中华民国后期，国民政府先后公布了《督学规程》《督学办事细则》，不少省份也制定了省、县两级《督学规程》和《督学办事细则》等，形成了比较完整的督学制度。

中华人民共和国成立后，我国高等教育管理制度建设受政治、经济、文化等因素的影响，经历了比较艰难和曲折的发展过程，教育、教学督导制度建设也经历了一个较长的酝酿时期。1983 年，在全国普通教育工作会议上，教育部提出了《关于建立普通教育督导制度的意见》。1984 年，国务院批准教育部设立视导室，负责巡视、检查和指导全国各地的普通教育工作。1986 年，国务院批准国家教育委员会改视导室为督导司。各地方政府对建立教育督导制度十分重视，地方各级教育督导机构先后建立起来，教育督导工作在全国范围内普遍开展。1991 年，国家教育委员会发布《教育督导暂行规定》，这是中华人民共和国成立以来的第一部关于教育督导的规章性文件，打开了中国教育督导新局面。1995 年《中华人民共和国教育法》的颁布，将教育督导确立为一项基本教育制度，规定“国家实行教育督导制度和学校及其他教育机构教育评估制度”，至此，我国以法律的形式确立了教育督导制度。

2012年，国务院颁布《教育督导条例》，这对教育制度建设有重要的意义。2014年，国务院教育督导委员会办公室印发《深化教育督导改革转变教育管理方式的意见》，为深化教育督导改革，要求加快建设督政、督学、监测“三位一体”的教育督导体系，规范各级各类学校的办学，提高教学质量。地方教育行政部门也针对各管辖区域高等教育发展情况出台一系列督导文件，加强对高校教学的外部监督。20世纪90年代末至21世纪初，教育督导制度的教育管理理念、工作模式和运行机制，已经对高等院校产生了积极的影响。

2. 我国的教学督导

我国高校的教学督导制度是通过借鉴国家教育督导工作制度建立起来的。虽然在建立教学督导制度之前，学校管理中已经开始强调对教学及各项工作的监督和管理，但直到20世纪末，各高校为强化教学管理、规范教学过程、推进教学改革、提高教师素质和教学质量，陆续建立了教学督导机构。

20世纪末，随着高校不断扩招，办学规模不断扩大，高校教师队伍出现相对不足的现象，各大高校在21世纪初期招聘与引进了大批青年教师。由于青年教师缺乏教学经验，如何保障高校教学质量，帮助青年教师快速成长，成为教学管理所要解决的重要问题，因此，教学督导机构便应运而生。2001年，教育部又颁布了《关于加强高等学校本科教学工作提高教学质量的若干意见》，指出建立健全政府和社会监督与高校自我约束控制相结合的教育质量监测和保证体系，是提高本科教育质量的基本制度保障。该文件的颁布为教学督导制度的建立提供了方向性指导，很多高校借鉴教育督导制度的理念、工作模式和运行机制等，建立了各高校自己的教学督导制度。《教育督导暂行规定》和《中华人民共和国教育法》颁布后，北京大学、厦门大学、北京师范大学等一些高校在借鉴基础教育督导体系建设经验的基础上，陆续在学校内部组织建立教学督导机构，并加快高校内部教学督导制度建设的进程。

2010年颁布的《国家中长期教育改革和发展规划纲要(2010—2020年)》指出：“提高质量是高等教育发展的核心任务，是建设高等教育强国的基本要求。”高等教育的教学督导作为教学质量、教学管理的监控手段，在提升教学质量、规范教学管理方面发挥积极的作用。该文件还提出一个重要目标，即“完善督导制度和监督问责机制，制定教育督导条例，进一步健全教育督导制度”，并且指出了发展的方向是“建立相对独立的教育督导机构，独立行使督导职能，健全国家督学制度，建设专职督导队伍。坚持督政与督学并重、监督与指导并重”。

2012 年，国务院颁布《教育督导条例》，对教育制度建设有重要的意义，也为高校教学督导制度建设指明发展方向。2015 年，《教育部关于深入推进教育管办评分离促进政府职能转变的若干意见》的发布意味着高校办学自主权的扩大，为规范教学权力运行，需要充分发挥高校内部教学督导的作用。因此，各大高校不断完善学校内部教学督导体系，制定教学督导规章，建立教学督导机构，规范教学督导人员的管理，规范教学督导的实施，构建完善的教学督导机制，为提高学校教学质量提供支持和保障。

### （二）我国教学督导专业化发展概况

作为一项保证教学质量的有效手段，教学督导工作在制定教育决策、规范教学管理、培养教师队伍和提升教学质量等方面发挥着积极的作用。经过 20 多年的发展，虽然我国高校教学督导工作取得了一些成绩，但是其应有的功能与作用还没有得到充分发挥，尤其在教学督导队伍专业化发展方面的理论研究、制度保障和实践措施等均需进一步加强。

高校的教学督导系统能否顺利构建及优质运行，关键在于是否具备高素质的专业化督导队伍。教学督导队伍专业化问题目前已受到一定关注，一些学者在相关研究中对此进行了讨论。蔡君在《对高校教学督导队伍专业化建设的探讨》一文中指出了高校教学督导队伍专业化的重要性和必要性，并分析了当前教学督导队伍专业化的现状，提出了高校教学督导队伍专业化的内涵和建设策略。段芸和唐俊在《高校教学督导队伍建设及其专业化发展研究》中分析了教学督导队伍专业化的素质内涵、教学督导队伍的选聘与结构优化，提出了构建教学督导队伍专业化管理体制和运行机制的具体措施，如建立健全培训机制、完善评价机制、建立激励机制等。倪宏昕等认为在高校教学督导队伍专业化建设研究中，目前关注的焦点是督导人员的地位与作用、素质要求，以及遴选、管理等方面，存在着研究方法不丰富、研究视角不开阔、研究重点不突出等问题，并提出今后的研究应重点突出督导队伍专业化建设的内涵，综合运用多学科的理论研究范式，构建教学督导队伍专业化建设的管理体制和运行机制，形成富有中国特色的教学督导队伍专业化建设基本理论。

苗苗等在《普通高校教学督导队伍专业化制度建设研究》中首先分析了教学督导专业化的意义和特点，然后着重从督导队伍专业化制度建设方面进行了探讨，如建设遴选制度、培训制度和激励制度等，最后指出了目前教学督导专业化制度建设存在的问题。

可见，我国高校教学督导毕竟是21世纪发展起来的新生事物，督导工作处于初步实践、感性认识和理论探索阶段，教学督导各方面的制度、机制还欠规范、欠完善。目前，教学督导队伍专业化发展还未引起应有的重视，尚未形成相关制度，相关研究尚未展开深入探讨，一些文献资料多源于学者基于本校督导工作的经验总结和有感而发，真正在理论层面展开的多角度、全方位的系统研究和成果不多。

## 二、我国教学督导专业化发展趋势

事物的发展总是基于一定的客观基础、受客观驱动力影响，并有自身发展的内在规律。由于教学督导工作在我国起步较晚，还需要一个发展和完善的过程，特别是督导队伍专业化发展，也需要遵循规律，逐步完善。在社会化分工越来越细的情况下，教学督导必然要走向队伍的专业化、职能的专门化。通过参考相关文献资料，综合多位学者的观点，我们认为我国教学督导队伍专业化发展有以下几个趋势。

### （一）教学督导队伍的选拔更加规范

教学督导队伍是开展督导活动的主体，其素质和能力决定着督导工作的质量和水平，也关系到督导工作的可信度和权威性。素质不高的督导人员难以胜任教学督导工作，故严格遴选教学督导队伍，严把准入关，是有效开展教学督导工作的关键，是建立一支权威的高素质教学督导队伍的前提，也是教学督导队伍专业化发展的基础。

目前，相对于美国和英国教学督导的任职条件和选拔录用标准，学者们普遍认为我国督导队伍的遴选不够严格，缺少统一标准。我国高校教学督导队伍一般包括在职教授或讲师，部分教学管理部门负责人，以及离退休教授、专家等。遴选一般由教学单位视工作安排和任务饱满情况推荐，往往会导致教学、科研能力强、任务重的专家教授无暇参加教学督导，只能推荐任务相对较少，即将退休或已经退休的教授担任。通过查阅我国部分“985”“211”院校教学督导规章制度发现，有的院校没有规定教学督导人员的聘任条件，有的院校的要求则比较宽泛，未见具体的任职条件和严格的聘用标准。因此，当前的教学督导队伍，一些资历较深的专家教授虽然具有丰富的教学经验，但是在教育教学理念和督导方式上较为保守，一些资历稍浅的督导人员往往又缺少教学和督导工作经验，提出的教学建议和指导缺乏权威性和说服力。

高校的教学督导人员都应具有高度的责任感，具有熟练的专业知识，尤其要具备督导人员特有的政治素质、师德素质、职业素质、业务素质和法律素质等。由于教学督导工作的特殊要求，教学督导人员还应具有教育学、心理学方面的知识、方法、技能，熟知国内高校教学改革动态，了解国外高校发展现状等。此外，敏锐的观察能力和分析综合能力、高度的责任感和事业心、为他人服务的精神、较好的说服他人的能力等都是教学督导人员需要具备的良好个性品质。要专业性地开展教学督导工作，保证教学督导的权威性，必须在教学督导人员的遴选和聘用时更加严格，建立更加规范的准入制度。关于这一点，一些学者在研究中都已进行了探讨，这无疑将是教学督导队伍专业化发展的一个趋势。

### （二）教学督导资格认证制度逐步建立健全

教学督导资格认证是教学督导专业化发展的另一个必然的趋势。在讨论专业化特征时，我们便认识到专业化人员需要接受基本知识和技术上的正规教育，给胜任工作者授予证书或其他称号，具有专门的认证制度和管理机构等，因此，教学督导资格认证制度的建设是专业化督导队伍的必备条件。在欧美地区，获得资格证书是申请督导职位的前提条件，教学督导人员还必须不断进修和参加各类培训来保持已获证书的有效性。目前，教学督导资格认证制度在我国几乎还是空白，因此建立健全教学督导资格认证制度，也是我国需要向发达国家学习的重要方面。也就是说，必须对任职条件、获得资格的程序、在何种情况下取消其资格，以及资格获得者的权利和义务等做出明确具体的规定。教学督导资格认证制度的建立健全有助于督导队伍专业化发展更加规范化、标准化。

### (三)教学督导队伍培训机制更加健全

教学督导人员的培训是加强督导队伍建设、提高督导人员素质的重要环节，也是教学督导工作走向系统化、深入化之后的必然需求。一些国家在督导人员上岗前会对其进行一系列的培训和指导。例如，英国的督导人员在被录用之后，必须经过一段时间的培训和见习，培训内容比较全面，包括宏观教育体制，教育管理制度，教育组织机构，教育行政与教育督导的关系，教育督导的职责范围、方式方法，以及视导报告的撰写等。培训一段时间后再见习一年，安排一名现任督学担任其辅导员，并制订具体的见习计划。

在我国，教学督导队伍培训近年来逐渐兴起，特别是新专家上岗前的培训与督导专项学习。岗前培训主要是进行督导工作业务辅导与经验交流，让新加入督导专家队伍的专家能较快地从学术专家、教育专家、管理专家转换到督导专家的角色上来，也使督导工作经验得到交流和推广，促进新老专家工作的融合与交接。教学督导专项培训应当具有针对性、实用性、超前性的特点。培训内容包括：党和国家的教育方针、政策和法规，教育改革前沿，教学工作目标，学校发展方向等，使教学督导深刻认识社会的发展、科技的进步、时代的变革，以及与之相适应的高等教育改革；教育基本理论、教育教学改革的新途径、新举措等，使教学督导接受新信息和先进理念，更新教学观念；教学督导的基本理论，明确教学督导性质、定位和工作职责，学习教学督导的工作原则、工作内容、常用工作方法、工作艺术等，熟练掌握教学督导知识、技能，形成教学督导的专业能力。培训形式则从实际出发，灵活多样，可将岗前培训与定期专项培训相结合，自我学习与外出学习相结合，实践学习与成员间学习相结合。

虽然越来越多的高校意识到督导队伍培训的重要性，开始将其纳入每年督导工作的计划中来。但总体而言，此类培训不够普及、不够系统，还需要通过建立健全有效的培训机制进一步加强。

### (四)教学督导队伍专业化发展研究更加深入

高校教学督导是我国教育改革过程中一个十分重要的问题，相关的学术著作较多，如对教学督导作用和定位的研究，对教学督导工作的原则、内容和方法的研究，对教学督导工作存在的问题和科学的运行机制的研究等。然而，教学督导队伍建设方面的研究力度相对较弱。从现有的研究成果来看，关于教学督导队伍专业化发展的研究还不多，目前只能查阅到很少的资料，尚未突出专业化建设的内涵，对督导人员的法定专业地位、专业要求、专业标准、职业道德规范、专门培训机构，以及资格认证、聘任制度等方面的研究比较薄弱。由于缺乏理论的支撑，长期对督导队伍专业化发展重视不够，导致督导工作不够规范，不够专业。英、德两国教育督导制度之所以能发展到如此完善的程度，与其重视教育督导的科学研究是密切相关的。英、德两国把终身学习的理念贯穿教育督导队伍建设之中，倡导在实践中学习、在学习中研究、在研究中提高的理念，鼓励广大教育督导人员做学习与研究的楷模，致力于把各级教育督导机构建设成为学习型和研究型的组织。为了促进教学督导队伍专业化发展，相关研究必须更加深入。

#### （五）教学督导工作开展更加专业

教学督导队伍的专业化发展，使得教学督导工作更加专业。由于教学督导队伍的准入机制更加规范，资格认证制度逐步建立健全，教学督导队伍培训机制更加健全，教学督导队伍专业化发展的研究更加深入，这些措施势必会促进教学督导队伍的专业化发展，使得教学督导工作开展得更加专业、更加高效。从实践中来，到实践中去。一方面，专业化发展有助于更加专业地开展教学督导工作；另一方面，在专业化地开展教学督导工作的同时，教学督导专业化发展便有了努力的方向和动力。

## 第四节　军队院校教学督导队伍专业化发展

### 一、军队院校教学督导专业化发展现状

军队院校的教学督导旨在依照军队有关政策和现代教育理念，对学校教学质量、管理效能和学风建设等方面开展监督检查、评估指导等控制活动，以便学校能够全面了解教员的教学情况，及时掌握学员的学习动态，为强化

管理机制、提高教学质量、引领向上学风、促进教学改革提供决策支持。

军队院校的教学督导工作有较强的专业性和特殊性，对督导人员的专业素质和业务素质有更高的要求。随着军队院校教育教学改革的深入推进，各院校对教学质量的重视上升到前所未有的高度。军队院校各级教学督导作为教学质量监控和评估系统的推进器，通过对教学工作各环节进行经常性监督、检查、评估和指导，在规范院校教育教学运行、提升办学育人水平等方面发挥着重要作用。军队院校作为高等教育系统中的一个子系统，其教学督导队伍的自身发展具有独特性和复杂性。

近年来，军队院校调整改革后，在异地多点办学的新形势下，各院校教学督导形式和内容发生了重大变化：一是院校层面开展了跨校区教学督导，对各办学点的教育教学工作进行检查、评估，为领导和机关掌握教学形势、改进教学工作、提高办学水平提供依据和参考；二是校区(学院)层面开展了校区(学院)督导，对教员教学能力进行评估和指导，对重大教学问题进行研究，参与重大教学活动，发现先进，宣传典型；三是系级层面开展了系级督导，对所属教员进行针对性指导，帮助其提升教学能力。

然而，由于各办学点办学定位和承训任务不同，各学科专业有自身的特色优势，各教员优点和不足不尽相同，而教学督导队伍在人员结构、任职经历、业务水平等方面也参差不齐，因此给教学督导带来了重大挑战，也对教学督导队伍专业化素养和能力提出了更高的要求，使得教学督导专业化发展成为提升教学督导工作质量的迫切需要。

关于军队院校教学督导队伍专业化发展的概念，目前在全军法规性文件中还没有正式提及，尚未形成比较集中或有影响的说法。通过文献检索，检索到与“军队院校”及“教学督导”相关的文献共9篇，未检索到与“教学督导队伍专业化发展”相关的文献，与“军队院校教学队伍专业化建设”相关的仅有《军队院校教学督导队伍专业化建设》1篇。该文章分析了教学督导队伍专业化的含义，认为教学督导队伍专业化应进行队伍结构合理化、督导理念科学化、学科知识专业化、沟通交流常态化等多方位思考。同时，分析了阻碍教学督导队伍专业化的因素，包括督导机构独立性不强，督导队伍工作制度有待健全，督导队伍遴选程序不规范，督导队伍教育理论功底薄弱等；提出了教学督导队伍专业化的实现途径，包括理顺督导机构的隶属关系，加强教学督导队伍制度建设，严格遵守教学督导队伍选聘程序，定期开展教学督导队伍培训，完善教学督导队伍评价机制等。

在教学督导工作实践中，各院校对教学督导队伍的专业化发展也有相关的规定，如某军队院校在《××大学教学督导工作规定(试行)》(以下简称《规定》)中要求："教学督导组成员应学习国家、军队教育方针政策和法律法规，学习大学关于教育教学改革和教学管理的重要文件和规章制度，学习反映国内外最新教育理论、教育思想、教育模式的相关文献，并适时到军地名校调研学习，积极开展督导工作研究，及时总结交流督导工作经验，不断提高教学督导理论水平和业务能力。"《规定》对于教学督导专业化发展做了多方面要求，如督导队伍须学习国家和军队教育法规政策、院校相关文件制度，以及教育理论、思想，并要开展研究，不断提高理论水平和业务能力等，但是关于如何组织实施却没有相关规定，这无疑会在末端落实上大打折扣，难以真正取得实效。

可见，教学督导队伍专业化发展是一个需要较长时间逐步摸索的过程，尤其需要很多配套政策的跟进，特别是要与目前的军队院校改革、军队院校教育转型及军队职业化发展等问题并行思考。军队院校教学督导队伍专业化发展的理论研究与实践经验都比较欠缺，还存在诸多问题，需要继续发展、完善。

## 二、军队院校教学督导专业化发展存在的问题

近年来，在全球范围军事教育训练转型的大背景下，军队院校在逐步推进教育创新、优化教育结构、完善管理机制，在培养军事人才的知识基础和创新能力、提高综合素质上进行军事教育教学训练等一系列的改革。教学督导在这一改革过程中，有着积极的催化剂的作用，对于促进教员和学员共同成长、提高院校教学质量来说，具有重要的作用和意义。当前，军队院校的教学督导理论研究不断完善，但还存在一定的缺陷，教学督导队伍还需要进一步实现专业化发展，全面提高督导水平，使教学督导更加规范化、专业化，切实发挥好督导的监督功能、指导功能、激励功能、桥梁功能和参考咨询功能，为军队院校实战化教学改革提供质量保证。原有的教学督导理念、制度及组织结构在一定程度上滞后于改革的需要，与教学督导队伍专业化发展的

要求还有一定的差距，主要体现在以下几个方面。

## （一）教学督导队伍专业化发展的理念还未深入人心

我军院校教学督导队伍专业化发展起步较晚，整体教学督导队伍专业化发展水平还不高；目前，我军对“教学督导专业化发展”这一概念还没有全军性正式文件提及，相关的研究文献也有所欠缺，因此教学督导队伍专业化发展的理念还未引起足够的关注，其重要性也未得到充分认识。乜晓燕等指出：“就当前教学督导机构和队伍建设的研究状况看，有关教学督导队伍建设的研讨主要是对教学督导队伍发展和建设的经验总结，关于教学督导队伍建设方略的研究和探索，目前还很少见到。”因此，要进一步深入探讨教学督导队伍专业化发展的必要性和具体措施，以引起人们的广泛关注和重视。同时，要唤醒教学督导队伍的专业化发展意识。加强督导队伍的建设，督导队伍的信念、情感、态度和价值观念是其专业化的内在动因，督导队伍应对自身从事的督导工作有一个清晰的认识，认清变革的社会和发展的教育对教学督导提出的要求，不断总结自身的优势与不足，形成专业意识和敬业精神，从而推动教学督导队伍的整体建设。

## （二）教学督导队伍遴选缺乏统一标准

目前，我国尚未形成统一的督导人员遴选标准，没有专门的督导人员资格认证系统，在督导人员的准入机制上有待规范。抓好教学督导队伍的准入关是实现其专业化的基础。目前军队院校教学督导组成员大多实行聘任制，但是不少院校的督导队伍遴选没有统一标准，一般通过教学单位推荐、教学科研处或高等教育研究室审查、训练部聘任等方式选聘。聘任条件中对督导人员专业性方面的要求一般比较模糊、不具体，导致基层教学单位无法推荐学科带头人、教学科研任务重的教员，而是倾向于推荐工作量较小或已退休的教员。各院校应根据教学督导队伍应具备素质内涵确定相关标准选聘督导人员，制定严格的选聘标准，按照公开、公正的原则进行选拔。教学督导队伍遴选随意性较大，程序不规范，将成为阻碍教学督导队伍专业化发展的重要因素。

### (三)教学督导队伍专业化发展机制有待建立

《国家中长期教育改革和发展规划纲要(2010—2020年)》提出完善督导制度和监督问责机制的要求。这足以表明国家强化督导制度的力度，以及对提高教学质量、加强教学督导工作和制度建设的重视程度。

科学、合理的教学督导队伍专业化发展机制是教学督导队伍专业化发展的根本保证，确保教学督导专业化发展的方向，必须将其落实到具体的制度中。然而，目前军队院校几乎没有建立相应的教学督导队伍、专业化发展机制，除了各高校发布的教学督导工作规定外，我军院校还没有出台关于教学督导队伍专业化发展的相关制度，如教学督导队伍选拔制度、教学督导队伍培训制度、教学督导共同学习制度、教学督导考核制度等，制度保障均存在缺位。其中，教学督导队伍培训制度尤为重要。教学督导队伍培训制度是加强督导队伍建设、提高督导人员素质的重要环节，科学制定培训目标和内容，可以是先进的教育教学理念、新的教学方法手段等，可以是实际操作层面的评价报告的撰写、与教员和机关的沟通方法等，可以是军事教育理论、政策、法规和管理条例等，可以是教育督导与评价的理论和方法。鉴于此，一套较为有效的军队院校教学督导专业化发展保障体系有待建立。

### (四)教学督导机构独立性有待加强

在新的时代背景和军事需求情况下，教学督导涉及的对象范围扩大，督导工作除了传统意义上对教员课堂授课质量的监控，还包括对学员战士训练的科学实施进行引导，对教学、军政训练计划的合理制订提出建议，对教学训练的保障工作进行监督等，督导机构的工作涉及多个方面和多个职能部门。然而，目前对教学督导还没有形成统一的认识，从现行的全军院校教学督导的组织构架来看，大体能够窥见对教学督导认识上的差异。有的院校教学督导组直接隶属于学院首长，直接服务于学院领导；有的则由训练部教务处负责日常管理，直接参与教学工作；有的则隶属于教学评估研究室，参与教学评价等工作。可见，当前院校教学督导机构独立性不强，督导队伍隶属关系不清晰。

要保证督导结果的真实性、客观性，实现督导队伍的专业化，督导队伍应独立开展督导活动，督导的整个过程及结果应尽量独立处理。张燕等学者在《军队院校教学督导队伍专业化建设》一文中指出，根据刘宏煊主编的《军校教育科研机构调查研究》一书，在其中调查的41所院校中，有10所院校的教学督导工作放在高等教育研究室，其他院校大多由教务处分管，作者认为这两种划分方法都不是很科学。由于督导本身没有行政约束力，置于高等教育研究室领导下的督导机构缺乏相应的保障机制，而置于教务处管理下的督导机构则缺乏权威性，容易造成对教学管理环节督导的缺失。

为此，有学者指出教学督导机构的设立应独立于教学管理部门。目前，为落实教育教学改革的推进，各院校主官、领导每周听查课及深入基层指导工作已形成常态，其目的与设置督导机构的目的具有高度一致性。因此，督导机构定位为直接向校领导或院领导负责的特殊机构是适宜的，也是可行的。教学督导机构在校长的授权下，由分管教学的副校长直接领导，独立承担教学检查、指导、评估工作，开展专题调研、献言献策，能够比较客观、公正地处理问题。这样一方面可体现校、院领导对教学的重视；另一方面能够增强督导的独立性、权威性、有效性、真实性，使院、校领导对教学训练的实施情况有真实的把握。

## 三、军队院校教学督导专业化发展的目的与意义

2020年6月新修订的《军队院校教育条例(试行)》第四章教学工作第三十二条规定："军队院校应当实行教学督导制度，以专家教授为主成立教学督导组，督促指导教学工作，研究提出改进建议。"教学督导队伍一直是教学质量监控体系的重要组成部分，担负稳定教学秩序、规范教学活动、培养教师队伍、深化教学改革、提高教学质量等重要职责，其专业化水平直接影响工作质量和效果。

军队院校有别于地方高校，有其自身的特点。由于受多方面因素的限制，相对比较封闭，无论是教员个人还是院校与外界交流的机会相对较少。因此，军队院校教学督导队伍专业化发展对于规范军队院校教学督导工作、促进军队院校教师队伍建设、推进新形势下军队院校教育改革和提升教学质量等方面来说意义重大。

### (一)有利于规范军队院校教学督导工作

军队院校的教学督导，通过对院校教学活动全过程进行监督、检查、评价与指导，掌握情况，总结经验，发现问题，及时进行分析和指导，是院校的参谋咨询机构、教学指导机构、检查督促机构、鉴定评价机构和信息反馈机构，已经成为学校内部教学质量监控的重要手段，其工作贯穿教学各环节。教学督导效能的发挥，直接表现在是否具备一支高素质的教学督导队伍，能否直接影响教学水平的稳步上升。然而，我国高等院校，尤其是军队院校教学督导发展的历史较短，还处于感性认识阶段，是一个比较薄弱的环节。若教学督导队伍通过自身的专业化发展，掌握较先进的教育督导理论，其学术水平、学术资历和学术贡献等方面在督导领域具有一定的影响力和权威性，必将有利于其开展教学督导工作，同时有利于规范军队院校教学督导工作，提升督导工作效益。

### (二)有利于促进军队院校教师队伍建设

“教育大计，教师为本。”教师是高校教学督导的重点，拥有一支结构合理、素质优良、教学能力强的师资队伍，院校的发展才有动力和后劲。目前，军队院校教员的学历都很高，但是相对而言，多数军队院校的教员缺乏教师职业培训，对外交流、教学研究等相对较少，教学水平和教学研究能力还有较大提升空间。教学督导队伍应以其专业化能力来帮助教师提高教学水平。从新教员岗前验收，到随堂查课评课，再到各级教学比武、教学检查、教学评价等各项教学活动中，教学督导需关注教师的知识结构和业务水平，引导教师学习运用现代化教学理论、技术和方法，指导教师转变教学观念、改革教学方法、讲究教学艺术、形成教学风格，对教员进行全方位、多角度的指导。同时，实事求是地指出教学中存在的不足，中肯地提出改进意见和建议，对教师产生激励和督促作用，有利于促进军队院校教师队伍建设。唯有教学督导队伍得到专业化发展，方能更加专业地开展工作，通过教学督导实践及时发现普遍性、倾向性问题，从而促进军队院校教师队伍建设。

### (三)有利于推进新形势下军队院校教育改革

当前，随着新军事革命的深入发展和军队院校教学工作的不断转型，高素质新型军事人才成为世界军事领域的战略制高点，各国军队越来越重视军队院校的建设发展，调整改革的力度和广度也空前加大。我军新一轮调整改革已全面启动，军队院校作为这次调整改革的重要组成部分，其最终目的就是提高新型军事人才培养质量，以更好地适应新形势下军队建设与发展的新需求。尽管近年来我军人才培养质量在不断提高，但与“能打仗、打胜仗”的强军目标还有差距。

人才培养的基地在军队院校，教育督导对人才培养有重要的促进作用。新一轮军队院校体系定位和人才培养的要求，对军队院校教员提出了前所未有的挑战，迫切需要建立一支适应新形势要求、教学研究水平高、实践创新能力强的教学督导队伍，以全面提升军队院校的教育质量。教学督导队伍应全方位促进自身的专业化发展，并以最专业的知识、最科学的手段和最柔性的方式促进军队院校教育改革。军队院校教学督导如果不朝着专业化的方向发展，就会跟不上军队建设和发展形势，难以满足军队建设与发展的需要。

### （四）有利于提升教学质量

教学督导机构是教学过程和教学质量的监控部门。不断提高教学质量是高校教育发展战略中永恒不变的主题。面对军队院校调整改革的新形势，军队院校亟须提高教学质量，保障稳定与发展，提升军队院校在国内外的地位和影响力。教学督导队伍通过专业化发展，不断提升自身的能力素质，改进工作方式方法，从而提高督导水平和权威性，更加专业地进行督教、督学、督管，不断使教学督导工作做到位，为提升教学质量保驾护航。

总之，在新时期转型教育教学过程中，科学地完善教学督导工作，理顺督导工作体系，改进督导工作中的问题，是与时俱进，是有效推进转型建设、实施精英教育的催化剂，是在全球新军事革命的大环境下促进军队院校又快又好地发展。军队院校必须充分认清教学督导的战略地位和现实意义，准确把握“督”和“导”的关系，切实从实际出发，不断推进军队院校教学督导工作的有效开展，在促进教学质量的过程中发挥“强化剂”作用。

# 第二章　教学督导队伍专业素质体系

高校教学督导队伍作为高校教学质量的监督者、指导者，是高校教学质量的“卫士”，其工作对高校人才培养、科学研究、社会服务和文化传承创新等四项基本职能的完成起到支撑保障的重要作用。《教育大辞典》将教师专业化素质定义为：“教师为完成教育教学任务所应具备的心理和行为品质的基本条件。”《辞海》对“素质”的解释是：“在心理学上，指人的先天的解剖生理特点，主要是感觉器官和神经系统方面的特点。”高校教师的素质就是高校教师的一切内在构成，是教师借以工作、发展和做贡献的个人内在条件和特殊本领。高等院校教学督导队伍对其自身的素质要求又不同于一般的高校教师，因此，研究高等院校教学督导队伍能力素质体系，有助于对高等院校教学督导队伍建设提供方向指引。

## 第一节　教学督导队伍角色

教学督导是教学质量保证的一项重要措施。进入21世纪以来，为了应对我国高等院校教育扩大化可能带来的教学质量滑坡，高校纷纷加强了教学督导制度建设。经过一个时期的实践和探索，教学督导工作取得了许多值得肯定的成果，对促进教学质量提升发挥了重要作用。从总体上看，高等院校教学督导工作仍然存在诸多问题，亟待解决，如促进高等院校教学督导队伍角色转变、适应时代发展、完善教学督导队伍建设相关政策、促进教学督导队伍能力素质提升，可谓任重道远。

## 一、教学督导队伍角色内涵

高等院校教学督导是院校教学质量保证体系的重要一环，其名称引申于我国基础教育的教育督导制度。20 世纪 90 年代以来，各高校借鉴基础教育的教育督导制度，相继建立了教学督导机制，组建了教学督导专家队伍，对本院校的教学工作实施监督与指导。

从广义上讲，教学督导队伍是在教学活动中，以监督和指导为基本职能的检查评定方，是院校对教学工作实行监督的代表者。仅从“督导”二字的字面上，我们就可以看出其包含了两方面的意义：一是“督”，即监督，通过参与和检查教学实施、教学管理、教学评估等，发现有关教学质量、教学秩序、教学管理、教学保障等方面的问题；二是“导”，即指导，要将发现的问题及时反馈给相关单位和人员，并提出有针对性的意见建议，指导教师、学生遵循教学规律改进教学和学习，指导教学管理部门和后勤保障部门改进服务工作，打造正规的教学管理模式，提供良好的教学保障，从而使教学向健康方向发展，提高教学质量。教学督导队伍既要监督，又要指导，二者相辅相成、缺一不可。只监督而没有指导，就成了单纯的“裁判员”，容易造成督导对象和督导专家之间的对立；只指导而没有监督，就是无的放矢、无病呻吟，针对性不强，也达不到提高质量的效果。只有在监督的基础上进行科学指导，提出有针对性的意见建议，帮助督导对象提升能力水平，才能达到督导的效果。

科学合理的教学督导，就是要通过对院校教学活动的全过程进行监督、评价与指导，推动教学质量文化建设，打造尊师重教氛围，促进院校全面提升教学质量和办学水平。教学督导应实现以下功能。

第一，监督功能。教学督导专家深入教学一线，检查教学各个环节和各类教学活动，通过随机听课、教学检查、师生座谈、问卷调查、抽查教学文件资料等形式，对教学过程进行全面监督，着重发现教师授课、学生学习、教学管理、服务保障等方面存在的问题。

第二，指导功能。教学督导专家在监督检查、发现问题的基础上，根据自身丰富的教学与管理经验，有针对性地对督导对象加以指导，从而帮助教师优化教学，指导学生学习，最终提高教学质量。

第三，评价功能。教学督导专家在教学过程中，运用自身掌握的教学理论和实践经验，对教师的教学过程和教学效果进行公正客观的评价。此外，通过参与院校的各项重大教学活动，参与专业评价、课程评价、名师评审、课题评审等工作，评判院校整体教学水平和教学质量。

第四，沟通功能。教学督导专家的工作上联院校领导和各级教学管理部门，下系教师和学生，纵向到底，横向到边，需要与院校所有的部门和人员打交道。督导专家担负着沟通反馈的任务，能将教师和学生的心声反映给领导和管理部门，也能将院校的政策制度讲解给教师和学生，发挥着重要的桥梁纽带作用。

在注重自身发展、注重终身学习的环境下，教学督导角色的内涵已由单纯的监督检查和指导引导，进一步拓展到服务和扶持，乃至协调教师、学生及相关部门的工作，既是教学质量的“裁判员”，又是教师能力提升的“教练员”，同时还是教学管理运行的“观察员”。

## 二、教学督导队伍角色定位

教学督导队伍的角色是多元的。进入教学督导队伍，并不等于成为一名合格的教学督导专家。不论是从教师队伍进入教学督导队伍，还是从教学研究机构或教学管理机构进入教学督导队伍的，都有一个进入教学督导角色的问题。因此，教学督导队伍的成员应该尽快适应新角色，努力使自己成为一名教学研究领域的专家，做到学科专业与教学管理、教学研究相统一，真正成为合格的教学督导专家。

成为合格的教学督导专家，离不开经常学习与研究，这是由其工作性质所决定的。对教师的教学要做出公正而科学的评价，还要进行督促与指导，认识滞后是不行的。督导专家的教学理论修养必须与时俱进，必须有先进性、科学性和针对性，能切中要害发现问题，指导帮带要有的放矢。督导专家要做到这些，必须要吃透“两头”。首先要吃透“上头”，对国家有关教育教学改革的指示精神深入学习、认真领会，了解最新的政策依据；对高等院校的教育教学改革经验和理论研究成果，能积极学习与吸收，了解最新的发展方向和前沿。其次要吃透“下头”，要了解所在院校的基本情况、培训任务、办学特色，深入课堂，深入教学，深入师生一线，了解教师的教学情况和学生的学习情况，认真分析研究，肯定成绩，找出问题，研究措施。唯有吃透“两头”，才能使教学督导工作产生实效。

合格的教学督导，应具备以下知识、能力和素质。

第一，有先进的教育教学理念。当今，我国的高等教育教学改革正深入发展，以人为本，培养学生创新精神和实践能力，全面提升学生的综合素质已成为教学改革的核心。作为教学督导专家，必须要更新教育教学理念，有改革和创新意识，深入理解掌握素质教育内涵，树立正确的教育观、质量观和人才观。

第二，有深广的学科专业知识。应熟悉并精通本学科的专业知识，专业理论掌握扎实、学识渊博，是本专业的行家里手，是本学科的专家、教授，同时要具备一定的知识面，了解相关学科专业领域知识。

第三，有丰富的教学经验。一般应长期从事教学工作，有坚实的教学功底、切实的教学体验和深厚的教学经验，有深邃的教学眼光，能洞察教学情况，有发现教学问题和解决教学问题的能力。

第四，有扎实的教学理论基础。熟悉高等教育教学理论，掌握教学目的论、课程论、过程论、原则论、主体论、方法论、反馈论，以及教师心理学、学生心理学等方面知识，善于理论联系实际，能运用现代教学理论回答教学中的问题。

第五，有开拓创新精神。能勤于学习，善于思考，乐于接受新生事物。思想不保守，不墨守成规，不因循守旧，能解放思想，开拓进取，实事求是，力求创新。在教学督导工作中，有真知灼见，敢于发表意见，善于评价与指导教学工作。

第六，有教学科研能力。除在学科专业领域有很强的科研能力之外，还要有良好的教学科研能力。善于对各种教学信息和数据进行分析与综合、抽象与概括，有较高的研究水平，并有很好的语言文字表达能力。

第七，有良好的人格魅力。服务意识强，有民主作风，平易近人，谦虚严谨，能与师生平等地探讨教学问题。评估教学公平、公正、客观、科学，不偏不倚、令人信服。在师生中有良好的形象和口碑，为人师表，做好榜样，是师生的楷模。

第八，有健康的身体和良好的心理素质。身体健康，头脑清晰，反应敏捷，思维严密，心理调节能力强，能承担较为繁重的教学督导工作，工作中善于同领导、管理部门、教师及学生沟通交流。

在具备上述能力素质的基础上，教学督导专家还应增强服务意识，不应把自己看成裁判法官，而应从培养教师的良好愿望出发，给予教师，特别是年轻教师真诚的关怀，当好年轻教师的良师益友，形成一种年轻教师从被动地接受督导到主动地与专家展开交流的良好氛围。引导教师进行教学反思，从而积累经验，化失误为收获，补短板为长项，从而生成自己的教学智慧、形成自己的教学特色，让教师在反思中发现自我、发展自我、超越自我。

## 三、新时代对教学督导队伍的新要求

高等院校教育不断发展，对教师的“教”、学生的“学”、教学管理部门的“管”、服务保障部门的“保”，都提出了新的更高的要求，也给教学督导队伍提出了新挑战。教学督导必须适应新形势、新要求，强化自身能力素质，以保证教学督导的效率和质量。

### (一)厘清教学督导基本职能任务

教学督导的任务，是按照国家有关高等教育的方针、政策、法规，对院校教学活动全过程进行检查、监督、评价与指导，为院校决策部门提供改进教学、管理的依据和参考意见，保证教学质量不断提高。

1. 检查

教学督导要根据教学计划、教学大纲及教学管理规章制度，对教学管理部门、教师及学生的有关活动进行检查，目的是了解教学活动及教学管理的现状，掌握有关信息。

2. 监督

教学督导要对院校整体教学活动及其管理运行进行监督。在监督检查的基础上对教学活动、教学管理的状况进行分析，发现问题，提出改进意见，及时反馈并督促其解决。

3. 评价

教学督导要对教师及教学单位的工作质量、学生的学习状况、教学条件等进行分析评价。教学评价是教学质量管理的基本环节，目的在于分析教学质量状况，找出存在的问题，为院校提供考核、管理及决策的依据。

4. 指导

教学督导要对检查、监督、评价中发现的先进经验和方法进行总结与推广，对存在的问题及时指正，并提出指导意见和改进的建议，帮助教学管理部门、教师、学生改进工作，提高教育教学质量及教学管理水平。

### （二）健全教学督导基本制度

教学督导环节的规范运行，是保障教学督导取得良好成效的基本前提。为此，院校层面要制定配套的教学督导工作管理制度，明确教学督导工作的目的、意义、运行机制、督导内容、督导要求，以及督导专家的工作权利与职责等。

1. 教学检查与听课制度

教学检查与听课是了解教学管理状况与教师教学水平的基本环节，要建立相关制度机制，保证教学检查与听课活动的经常化、规范化、科学化，保证教学检查与听课在自然状态下进行，最大限度避免人为因素的干扰，从而最大程度反映教学管理与教学过程中存在的真实问题。教学督导专家要经常深入教学单位进行随机教学检查，全面客观地了解教学单位的教学管理和教学运行现状，善于捕捉真实状态下教学管理中存在的真实问题；教学督导专家还要经常性深入教学第一线，随机听查教师授课，事先不必与教学单位或任课教师打招呼，以便客观地反映教师平时的课堂教学情况，了解自然状态下教师的真实教学水平。

2. 督导信息分析与反馈制度

对督导信息的分析与反馈是教学督导基本环节得以有序开展的关键，要保障信息分析的客观性和信息反馈的及时性。教学督导专家对督导中收集到的教学信息应进行客观、科学、合理分析，不为表面现象所迷惑，要善于发现问题的本质和背后深层次的原因，得出科学的结论。对于个性问题，应及时将这些信息反馈给任课教师，与任课教师交换意见，共同探讨提高教学质量的方式方法，引导教师转变教学观念，改变教学方法；对于共性问题，要以适当方式将存在问题和督导结果向院校有关领导和教学管理部门汇报，并且提出改进意见及建议，以便相关领导和部门及时了解教学情况，作为其决策的参考和依据。

3. 分类督导制度

由于教学工作的复杂性，任何单一的督导方式都不可能对教师发展和教学质量的提升完全奏效，因此，应通过相关制度规定将常规督导、专题督导有机结合起来，体现教学督导的针对性、实效性。常规督导主要聚焦课堂，以课堂教学为中心，通过听课发现问题；专题督导是根据院校当年教育教学工作的重点或比较薄弱的环节进行的督导，如实践教学、教学设计、教学文件、学员学习等。

### （三）构建专业教学督导队伍

教师的教育教学活动是一个复杂的过程，要求教师必须同时具备多种能力，才能顺利完成教育教学任务。教学督导队伍同样应该具备多方面的能力素质，学识水平、治学态度、品德修养、行为举止和督导动机等都将直接影响教学督导工作的权威性和工作效果。因此，应加强教学督导队伍建设，建立一支专职兼职结合、专业结构合理、综合素质优良的专业化教学督导队伍，保证教学督导工作的专业化、科学化，沿着正确的道路持续前进。

1. 加强教学督导队伍的建设，做到专职兼职结合

教学督导队伍首先应该是教育教学方面的专家，具有广博的知识，一般应由具有高级职称、丰富的教学与管理经验，以及行业威望的专家教授担任，同时还要有足够的时间和精力专心于督导工作。因此，建立一支专职兼职相结合的教学督导队伍，可以较好地满足督导需求。一方面，退休的专家教授可以作为专职教学督导专家，他们有丰富的教学和管理经验，有足够的时间和精力投入督导工作之中，而且不受干扰，最大限度地避免人情影响，但一定程度上存在对教学改革前沿热点关注不够、对最新教学政策要求掌握不准确等弱项；另一方面，在岗的领导、教师和管理人员作为兼职教学督导专家，他们熟悉现代教育技术，能及时准确掌握学校的教学现状和最新的政策要求，可以弥补退休专家教授在这方面的不足，从而增强督导工作的先进性与专业性。专职、兼职专家结合起来，可以互相学习、互相促进，取长补短、相得益彰，共同提高教学督导的能力水平。

2. 加强对教学督导队伍的管理，建立开放的进出机制

教学督导队伍应实行严格的准入和退出机制，从思想、年龄、精力、品行、知识、能力、经验等方面制定标准，严格遴选教学督导队伍，实行聘任制，根据院校实际确定适当聘期，一般为一至两年，保证督导人员有序进出、结构合理，适时吸纳适合从事教学督导工作的高素质人才，不断增强教学督导队伍的生机与活力，从而创新性地开展教学督导工作。在当前高校教学督导队伍的建设过程中，有两种情况值得注意：一种情况是有的教学督导专家属于“单纯学术型”，他们的学科专业造诣深、知识渊博、科研成果多，但教育教学的理论修养有欠缺，对教学理论和教学研究不感兴趣；另一种情况是有的教学督导专家属于“单纯管理型”，他们长期从事教学管理工作，有一定的教学研究能力，但缺少学科专业知识，缺少一线教学经验。以上两种类型人员的知识结构和能力素质都是不完整的，缺少某些必要条件，因此在实际工作中一定程度上反映出其局限性：前者在教学理论的指导方面跟不上；后者由于缺乏学科专业知识也不能进行深层次的督导。理想的教学督导专家应能把深厚的学科专业知识、较强的教学研究能力和丰富的教学管理经验融于一身，实现教学研究专家、学科专业教授和教学管理专家的“三位一体”，这样才能更好地胜任教学督导工作。

3. 加强对教学督导队伍的培训，不断提高队伍整体素质

为了不断提高教学督导队伍整体能力素质，做到与时俱进，紧跟高等教育发展的新形势，及时了解高等教育的发展动态，需要加强对教学督导队伍的培训，通过培训使他们熟悉有关教育政策、法规，掌握新的教育理念与教育理论，了解现代教育技术的特点，掌握正确的工作方法，促进教学督导工作更加科学。

### (四)完善教学督导组织机构

教学督导是一项专门性工作，具有较强的专业性，只有专门人员才能履行教学督导职能。为此，院校应建立专门的组织机构，配置专职化人员进行管理，做到对全校的教学督导工作统筹规划，统一安排，真正将教学督导职责落实到位。在具体建设上，要抓好以下两个方面：一是设置专门的办事机构，院校一般应设立教学督导办公室(教师发展中心)，配备专职工作人员，

负责处理日常督导事务；二是建立教学督导数据库，教学督导办公室负责对教学督导过程中的大量数据、信息和资料进行汇总、综合、分类，编发《教学督导简报》，分别建立教师个人和综合督导信息资料库，作为个人业绩考核、职称职务晋升、评选优秀先进的重要依据，真正发挥教学督导对提高教学质量的促进作用。总之，教师的专业成长与专业发展具有阶段性，教学督导只有与教师成长发展的阶段性相适应，才能取得良好效果。因此，教学督导不应是一次性的，而应当做到制度化、专业化、经常化，层层递进，持续发挥教学督导的作用。

### (五)拓展教学督导领域

督导不是简单地找出教师教学方面的问题，而是“督”“导”并重，督教、督学、督管、督保相结合。课堂上发现的问题，有些并不是教师本身授课水平的问题，而是教学设计、教学管理和教学保障上的问题。例如，课程内容不适合培养目标需求，教学管理制度不科学、不完善，保障不及时、不到位，都不是单个教师能够解决的问题。这些问题对人才培养质量的影响，远比一个教师是否上好一门课的影响更大。因此，教学督导应该从高校教学的顶层设计着眼，从督导教学管理入手，关注课程设置和教学内容是否符合人才培养要求、教学实施是否严格执行教学大纲、教学制度是否科学完善并执行到位、教学内容是否及时更新且符合最新要求、教学管理是否高效、教学保障是否到位，等等。

### (六)加强教学督导研究

教学督导是一项专业性很强的工作，要坚持理论先行、改革创新，本着研究的态度去开展督导。为配合院校教学建设与改革，应选择一些研究性课题进行立项，有组织地开展调查研究，为院校的长远发展出谋划策，推进院校发展过程中一些深层次问题的有效解决。

1. 摸清基本情况

通过问卷调查、召开师生座谈会或采取随机交流的方式，了解教师的工作感受、心理状态及其对课堂教学、学生学习、教学管理等方面的意见和建议；了解师德、师风，以及目前环境下教师的价值诉求和价值判断；了解学生的学习情况、学习需求等各方面与学习有关的问题；了解毕业生从事专业实际工作的适应能力和创新精神，用人单位对毕业生的质量评估，以及对人才培养的要求和改革教学的建议。

2. 开展专题分析

针对教学督导过程中发现的某个突出问题，进行深入系统的了解和深层次的解剖，通过集体研究和诊断，找出症结，有针对性地提出指导意见。例如，在学生对教师课堂教学质量进行评价时，讲授理论课的教师通常得分都偏低。通过分析发现，要让学生真正接受抽象性很强的基础理论课，除了教师要下功夫提升授课能力外，学生和院校也需要开展相应的工作。院校要在新生入学时就对其做必要的说明和课程介绍，说明基础理论课的特点规律和地位作用，对后期课程学习、工作的重要性，让学生喜爱并接受理论课教学。

3. 推动教学研究

教学是一项复杂的劳动，而且是一个多因素作用的过程。因此，对教学工作和督导工作进行研究，要反映现代教育思想和教育价值观念，科学合理地设计评价指标和考核方法，鼓励教师不同的教学风格，给予教师充分发挥个性的空间和时间，这不仅是公平对待教师的劳动，而且能彰显对教学工作本身的尊重。

4. 重视反馈效果

督导人员不仅要把教学检查情况及时向有关教学部门通报，而且还要向任课教师本人反馈意见，以使教师及时改进教学中的不足之处。督导人员在向教师反馈意见时，可以先肯定其优点和长处，同时又诚恳、实事求是地指出其缺点或不足，做到有事实、有分析，让人心悦诚服，使教师消除对教学督导的紧张、戒备心理，认识到督导是一项为了自身的发展和进步而开展的工作，是一种关爱。同时，教学督导工作还要建立完整规范的档案资料，在工作中的各个环节都要进行详细记录，并以学期为单位进行整理建档。其内容主要包括督导会议、督导计划、督导听查课记录、督导反馈情况和督导总结报告等。

# 第二节 教学督导队伍的基本素质

教学督导队伍的基本素质，是保证教学督导工作质量的决定性因素，是实现教学督导规范化和科学化的根本前提。因此，建立一支素质优良、结构合理、发展良好的教学督导队伍，是开展高等院校教学督导工作的首要问题。一名合格的教学督导专家必须符合多方面的要求，才能胜任教学督导工作，这些多方面的要求就形成了教学督导队伍的基本素质。一般来说，教学督导队伍的基本素质包括政治素养、道德素养、知识水平、业务能力、身心素质等。

## 一、政治素养

高等院校是培养高素质专业化人才的摇篮，必须坚持党的领导，坚持正确的办学方向。选拔教学督导专家时，应把政治素养放在首位。教学督导队伍必须具备坚定的政治信念、较高的马克思主义理论水平、科学的思维方式，能够用马克思主义的立场、观点、方法去分析实际工作中的问题，使高校教育工作沿着正确的方向前进。教学督导队伍必须崇尚科学，勇于捍卫真理，拥有潜心治学以实现自己抱负的理想。教学督导队伍还要树立全心全意为教学服务、为教师服务、为学生服务的理想和意识，把帮助和指导教师改进教学工作、提高教学质量，把引导和激励学生努力成为合格人才作为自己的根本工作职责。

### (一)忠诚于社会主义教育事业，热爱教学督导工作

忠诚于社会主义教育事业、热爱教学督导工作，是对教学督导队伍职业道德的基本要求，是做好教学督导工作的基本前提。教学督导队伍只有忠诚于社会主义教育事业，才能在督导教学时督促引导教师坚定社会主义的信念，坚定不移地全面贯彻党的教育方针，保证教育目的的实现。教学督导队伍只有热爱教学督导工作，才能满腔热忱地投入督导工作中，忠于职守、敬业乐业、安于奉献，才能引导教师努力提高职业道德修养，增强教师的使命感和

内驱力，使他们在爱教乐教中更加积极自觉地为提高教学质量而创造性地工作。

### （二）具有较高的政治理论素养，熟悉相关的政策法规

高等院校是培养社会需要的理论与实践紧密结合的高素质人才的地方，高校教师是具有较高修养素养的高级知识分子，教学督导工作又是一项政策性、专业性很强的工作。因此，高校教学督导队伍必须具有较高的政治理论素养，才能运用马克思主义的基本观点和基本方法分析解决实际问题；教学督导队伍必须熟悉掌握与督导工作相关的方针政策、法规条例，才能依法督教导学，才能以党和国家的教育方针政策、法规条例为准绳来指导教师和自己的工作与言行，才能保障教学工作有序高效地进行。

## 二、道德素养

教学督导队伍的职业道德素养，是教学督导队伍在教学督导活动中必须履行的行为规范，是教学督导队伍顺利进行督导工作、履行责任的重要保证。教学督导队伍要有良好的工作作风、坚持原则、客观公正、敢于说真话、不怕得罪人，成为广大教师和学生的表率。教学督导队伍要有高尚的职业道德和崇高的敬业精神，树立全心全意为教学服务、为教师服务、为学生服务的意识，把帮助和指导教师改进教学工作、提高教学质量、引导学生努力成为社会需要的优秀人才作为自己的根本工作职责。

### （一）坚持实事求是的原则

教学督导队伍按照督导听课制度进行听课，检查任课教师教学准备、课堂教学，以及学生学习情况、教学保障情况，要保证对教师、学生、教学过程、教学管理与保障做出客观公正的评价。因此，高校督导人员必须坚持实事求是的原则，如实地反映实际情况，不隐瞒或虚构事实；对弄虚作假的现象，能及时发现、制止并引导其解决。督导专家必须保持客观公正的工作态度，顾全大局、坚持真理，秉公办事、不徇私情，敢讲真话、敢说实话。教学督导人员在督导的过程中，更要注重自己的行为，遵纪守法，以相关制度来严格要求与约束自己。只有这样，才能保证教学督导工作的客观性和公正

性，完成教学督导的监督、检查和指导的职责。

### （二）筑牢以人为本的理念

教学督导的根本目的不是找毛病、指问题，而是“督”“导”并重，更重要的是促进帮助教师改进教学方法、提升教学水平。因此，教学督导队伍必须树立“以人为本”的督导理念，增强以督促教的服务意识。教学督导专家要从思想上充分认识到教师被他人尊重、被社会肯定、实现自我价值的渴望，从教师的角度出发进行换位思考。要把发现问题的眼光变为发现好的教学典型和总结成功经验的愿望，把去监督、去检查的心态变为向教师学习的态度，做到尊重教师，平等待人，听取师生对教学工作的要求、呼声和意见。以谈心的方式、商讨的方法，与教师一起研究切磋教学中存在的问题及原因，做到启发点化、引导激励、改进教学，使教师心悦诚服地接受意见。

### （三）坚守勇于奉献的理想

教学督导队伍要想做好教学督导工作，必须具有甘当人梯、勇于奉献的理想，这是成功的教学督导队伍的内在驱动力。每名督导人员都要以成为教学督导专家为目标，为从事教学督导工作感到强烈的荣誉感，有着“教学质量是我的责任”的责任感和使命感，才能把工作做好。在教学督导工作中，会遇到各种困难障碍，这就需要积极的自我悦纳的能力，形成正确的自我形象、良好的自我体验、满意的职业状况认知。真正热爱教学督导工作的教学督导专家，一定是乐观向上，性格开朗，平易近人，善于独立思考，不盲从、不迷信，不因循守旧，不墨守成规的。

## 三、知识水平

高等学校是专业知识传授和先进文化传播的阵地，在知识传授上必须具有深度和广度。因此，教学督导队伍必须具有深厚的学科专业知识，不仅要具有扎实的专业基础知识、丰富的专业前沿知识、熟练的专业实践技能，还应具备教育学、心理学、管理学等方面的知识，以及教学督导和教学评价等理论和方法，院校组织和管理等方面的知识，特别是随着知识经济时代的到来、国际交流合作加强，教学督导专家在熟悉国内高校教学改革信息的基础上，还应了解国外高校相关方面的发展现状。

### （一）精深的学科专业知识

高校课堂传授的知识既体现了学科前沿信息和学科动态，又有一定的深度和广度。因此，作为高校教学督导队伍必须是本学科的专家，熟悉并精通本学科的专业基本理论知识，熟知本学科的前沿学术动态，并且对新知识、新信息能进行及时地加工、整理、内化。这样，才能在督导工作中对教师给予学术学科上的指导。同时，教学督导队伍还要具有相近专业的基本知识，具备广博的文化视域，既要借鉴国内高校教学改革和发展的信息，也要熟知国外高校发展动态，以提高督导水平。因此，高校教学督导队伍知识结构的专业化就是既要专又要宽；既要具备广博的科学文化知识，又要拥有比较深厚的文化底蕴。

### （二）丰富的教学实践经验

《札记·学记》中强调："既知教之所由兴，又知教之所由废，然后可以为师也。"作为督促、检查、指导教学工作的教学督导队伍，必须懂得教育规律，积极学习教育学、教育心理学、教育管理学等教育理论，掌握学科教学法等教学理论，必须具备较高的教育教学水平，具有丰富的教育教学阅历和经验，积累一定的教学组织管理经验。只有这样，才能在教学督导过程中结合自身的教学实践经验，做出科学评价，既能指出存在的问题、找到问题的症结，又能提出可行的指导意见和解决方案，才能使被督导教师心悦诚服地接受，积极自愿地改进教学。

### （三）良好的语言文字表达能力

教学督导工作是协调院校、教师、学生的重要渠道，语言沟通、书面交流是其主要的工作方式。教学督导队伍听课后要和教师交流教学过程中出现的各种问题；教学督导队伍要经常通过谈心、讨论、座谈等方式，听取院校各方意见；要通过沟通、协调，传递信息，通报情况，使院校机关和教学单位进一步了解一线教学情况；督导工作结束后，教学督导队伍要及时撰写督导报告；教学督导队伍肩负着搜集、整理院校教学的优秀成果，及时推广教师教学的先进经验的责任。因此，教学督导专家需要具备良好的语言和文字表达能力，做到联系实际、观点明确、逻辑严密、语言生动、有较强的说服力，以促进和提高督导工作的实效。

总之，教学督导专家不仅要是本学科领域的专家，还要通晓相关学科的知识；不仅要有深厚的中华民族灿烂文化的积淀，还要掌握一门外语作为了解国际学术动态的工具；不仅要有严谨的科学精神，更要有博大的人文精神。因此，教学督导队伍要求知识面广，具备较广博的科学文化知识和深厚的文化底蕴，方能将理论联系实际，把静态的理论知识活化为动态的专业实践技能，在新兴的边缘学科和交叉学科中发掘新知识，广泛涉猎与专业相关的知识，随时进行信息和知识的加工和整理，形成自己的观点和见解，更好地履行督导工作。

## 四、业务能力

高校教学督导工作是高校整体运行体制的一个重要组成部分，教学督导工作涉及院校教育教学的方面，因此教学督导专家需要具备较强的业务能力。

### (一)敏锐的观察能力和良好的沟通协调能力

教学督导队伍的工作范围广，涉及课堂教学、实验实践教学，以及教学运行、教学管理、教学保障等方面，所有教学相关的工作都在督导范围之内，所有的人员都是被评价对象。教学督导工作又处在领导、机关、教学单位、学生多层级的关系中，既要取得领导和机关的支持和帮助，又要得到教学单位的理解和师生的信任，上通天、下接地。教学督导队伍必须能够从纷繁复杂的现象及师生心理活动的细微变化中，敏锐地概括出问题的本质，在各种联系中找出根本原因，并很好地与各类人员进行沟通，做好教学质量的监控和提高工作，取得良好的教学督导效果。

### (二)强烈的创新意识和较强的教育研究能力

高等教育教学要适应社会的快速发展，教学督导队伍的督导观念、工作范围、内容任务、评价标准等也要随之更新。在教学督导实践过程中既要继承督导工作的一些好传统、好做法，更要有强烈的创新意识。在督导工作中教学督导队伍要与时俱进，将先进的现代教育理念、现代化的手段运用到督导工作中来，更新督导理念，创新督导模式，积极探索教育督导工作的新方法、新路子。同时，高校教学督导队伍还应有自觉的教育研究意识和良好的教学科研能力。积极开展教育教学研究，善于分析与综合、抽象与概括，催生高水平研究成果，并以研究成果来指导教学工作的实践。

## 五、身心素质

教学督导工作的范围广、任务重、强度高，既要指导教师，又要接触学生，还要联系管理部门，对督导专家的身体、心理都提出了很高的要求。

### （一）身体素质

高等学校教学督导的任务范围广，要完成这些任务，必须具有适应高校教学和训练所需要的身体素质。教学督导人员要有庄重的仪表和姿态，有充沛的体力，有很强的适应能力，有能够在各种条件下完成教学和督导任务的体力；有旺盛的精力，能承受繁重的教学训练任务带来的生理上的压力，始终保持旺盛的斗志和激情，不怕困难和挫折；有良好的语言表达力。身体强健，才能头脑清醒、精力充沛、注意力集中、知觉敏锐、记忆力良好、思维敏捷和想象力丰富，为教学和督导工作提供最有利的条件。

### （二）心理素质

高校督导队伍必须具备适应教学督导工作良好的心理素质。一是对教育事业的强烈兴趣。要当好一名督导专家，必须要忠诚党的教育事业，具备从事教育、热爱专业的志趣。当这种志趣深深地扎根于教师的心里时，会使自己成为在教育事业上奋发有为的人。二是对督导对象高度负责的情感。情绪是一种不稳定的心理状态，情感是一种比较稳定的心理状态，情绪和情感可以使人的活动积极起来，也可以使人的活动消极起来。督导专家必须在平时的工作中注意培养自己良好的情感，使自己保持旺盛的活动积极性。三是克服困难的意志。意志是确定目的并选择手段以克服困难、达到预定目的的心理过程。在教学督导活动中，无论主观上还是客观上都会遇到许多困难，要克服这些困难，完成相关任务，必须具有坚韧的意志力。

# 第三节 教学督导队伍专业化素质模型构建

教学督导队伍是教学督导活动的主体，是教学质量监控的桥梁和纽带。教学督导队伍的专业化素质，是实现教学督导规范化和科学化的前提。建立一支素质优良、结构合理、发展良好的教学督导队伍，是开展教学督导工作的首要任务。

## 一、教学督导队伍专业化素质构成要素分析

考虑到高等院校教学督导工作有较强的专业性和特殊性，对督导人员的思想素质和业务素质提出了较高的要求。教学督导队伍的专业素质，可以界定为“能够胜任高校教学督导工作中所必需的、相对稳定的综合品质，包括知识、能力、性格等方面”。对高校教学督导队伍的专业素质要求，一般认为有三个主要方面：专业知识、专业能力和专业素养。

### （一）专业知识

一是教育理论知识。只有掌握了深厚的教育教学理论，才能胜任教学督导工作。二是教育政策法规。教学督导本身具有法制性的特点，因此要对教育教学领域的法律法规、政策制度认真学习，掌握其精神实质。三是教学督导评估的标准方法。这是开展教育教学督导工作的根本依据和必备工具，烂熟于心才能得心应手。四是相关领域知识。要掌握一定的经济、文化、科技发展现状和趋势的相关知识，以及相关学科领域的知识，这是开展督导工作的重要支撑。

### （二）专业能力

一是分析判断的能力，即面对院校教育教学实践所表现出的分析判断能力：敏锐的观察力、周密的思考力、较强的分析和评价能力，也就是中医常用的望闻问切的能力。二是指导教师的能力，即帮助教师提升业务能力的能力。三是沟通协调的能力，即在履职过程中，联络、沟通、协调院校机关与

院系、院系与院系、教师与教师、教师与学生等各种关系的能力。四是教育研究的能力，即教育教学问题的研究能力、教育改革和先进教学观念的传播能力、教育督导工作的研究能力，以及信息处理能力。

### (三)专业素养

一是情感投入，即热爱教育督导工作，具备“干一行，爱一行，钻一行”的专业精神，并愿意为之付出努力。二是责任意识，虽然教育督导工作尚处于发展阶段，任重而道远，但正是因此而责任重大、大有可为、前途光明，要有高度的责任感和使命感。三是服务精神，要树立督导即服务的理念，做好教师和学生的服务员，深入一线、善于倾听，并提供优质服务。

## 二、教学督导队伍专业化素质层次架构

### (一)角色认同

教学督导队伍要对自己的角色定位有一个准确的认识。现代管理科学从决策是管理的首要职能这一基本认识出发，把一个完整的管理系统分为三个层次：一是决策系统，二是决策支持系统，三是执行与控制系统。与此相适应，管理人员也分为三种不同类型：一是决策人员，二是参谋人员，三是执行人员。教学督导机构是决策支持系统，教学督导队伍则属于决策支持系统中的参谋人员。作为参谋人员，应以“谋”为主，就是从事决策的研究工作，研究如何科学地确定决策目标，为实现决策目标拟定可供选择的方案并对其进行分析论证，帮助决策者做出正确的判断，为决策者最终决策提供科学依据。因此，教学督导专家应以信息收集为手段，充分发挥其反馈、督促、指导和评价的作用，以服务于教学为宗旨，最终促进教学质量的提高。这就需要增强服务意识，把教学督导的出发点与落脚点放在服务上，坚持从“督”入手，在“导”上下功夫，针对不同的对象，具体问题具体分析，把督导工作从原来的以检查、监督为主转变为现在的以鼓励和提倡为主。教学督导队伍在思想意识上要摒弃高人一等的监督、检查、考察的心态，以同行的身份出现，尊重教师，平等待人，与人为善，以谈心的方式、商讨的方法，以共同研究切磋的精神，做到启发点化、引导激励改革教学，使教师心悦诚服地接受意见。

### (二)知识理论

深厚的学科专业理论知识和丰富的教学经验，是教学督导成员的基本要求，应熟悉并精通本学科的专业知识，专业理论掌握扎实、学识渊博，是本专业领域的行家里手，是本学科的专家教授。督导专家应长期从事教学和研究工作，有坚实的教学功底，深厚的教学体验和广泛的教学经验，并有敏锐的教学眼光，能洞察教学情况，能发现教学问题和解决教学问题。督导专家还应熟悉高等教育教学理论，掌握教学目的论、课程论、过程论、原则论、主体论、方法论和反馈论等知识。只有这样，才能将理论联系实际，并运用现代教学理论解决教学中的问题。

一是要有较高的理论水平。教学督导队伍履行对教师教学的监督职责，承担着对其评价和指导的重要任务。在督导过程中，督导人员扮演着教学管理执行者角色，其一言一行对教师的教学影响重大。这就要求督导人员具有较高的知识理论水平，有较强的总结和概括能力，能够用马克思主义的方法去辩证地分析、解决问题，并能正确掌握上级政策以及相关规定精神，实事求是地评价教师的课堂教学工作和教学管理工作。

二是要有较强的业务能力。教学督导工作是一项政策性、业务性很强的工作，工作范围涉及教学指导思想及教学管理的各个环节。为了有效地开展督导工作，督导专家必须有较强的业务能力，既要有一定的管理教育工作的实践和能力，又要有一定的教育工作和教学经验，熟悉和掌握各种教学监督、指导和评价的业务技能。

三是要有扎实的教育理论。教学督导队伍须具有较高的职业素养，能够从纷繁复杂的教育、教学和管理现象中抓主要矛盾，运用现代化的教育理念来分析问题、提出意见、解决问题，有效地实现对教学工作的评价、监督、反馈和指导，促进院校教育教学工作的不断改革、创新和发展。

### (三)实践运用

基于教学督导工作内容的全程化、职能的全面化，教学督导工作只有采取灵活多样的方式，通过不断的实践探索，才能使教学督导作用得到有效发挥。根据内容不同，可采用定期督导与不定期督导相结合、常规督导与专题督导相结合、随机督导和重点督导相结合、直接督导和间接督导相结合、分散督导和集中督导相结合、批评与表扬相结合、督导与评估相结合等方式，对课堂教学情况、教学计划执行情况、实践教学等环节实施检查，将试卷抽查、毕业设计(论文)评审等作为常规工作定期进行检查，针对教学与教学管理过程中某些突出问题进行重点督导、专题督导。通过听取汇报、现场检查、抽查材料、调查问卷、召开师生座谈会等途径，全面了解教学工作进展和实施情况。督导过程中，对存在的个性问题，现场进行反馈和指导，对一些共性的问题可通过教学督导简报等形式进行反馈和通报，或组织全校性的座谈会、交流会、观摩课、讲座等形式加以集体研究和指导。

在日常的督导中，一般是以课堂教学为重点开展教学督导。因为课堂教学是整个教学过程的关键环节，教风、学风、教学水平、管理水平、保障水平都会集中反映在课堂教学上。因此，在具体工作中，教学督导要紧紧抓住课堂教学这个中心环节，开展全面的教学督导。可采用重点听课与随机听课相结合的方法，深入教学一线，了解教师课堂教学工作和学生学习情况。教学督导的听课活动在无形中给教师增加了压力，激发了教师教学的主动性和积极性，加强了备课和教学实施等环节，将主要精力集中到课堂教学中，规范自己的课堂教学活动。在督导过程中，督导专家要重点对新教师进行指导和帮教，注重发现教学典型，促进能力较弱的教师成长，抓两头带中间，在“教学有法，教无定法”原则指导下，鼓励教师，特别是青年教师勇于创新、勇于探索，把教学改革成果应用于课堂教学中，在课堂教学中发扬个性，形成特色和风格。

在教学督导中，要注意克服以下现象：教学督导比较重视课堂教学，对其他教学环节督导不足；对理论教学督导比较多，而对实验、实习、实践等教学环节的督导比较欠缺；对学生的课堂出勤、课堂纪律督导较多，而对学生课外学习的重视不够；对结果督导较多，而对过程督导较少；对问题和不足督导较多，而对成绩和优点发现较少等。教学工作包含课堂教学、实验教学、毕业设计(论文)、科研和技能训练、实习、实践等环节，是一个完整的系统。因此，在实际工作中，教学督导要针对教学活动的各个环节，紧紧抓住教、学、管这三个影响教学质量的主要因素，坚持全方位、多视角，从原来单纯注重课堂教学环节的督查与指导，转向对课堂教学环节与课外各教学环节的督查与指导并重；从注重理论教学的指导，转向理论教学与实践教学环节并重，既要对教师的教学过程进行动态化的监控，也要对学生的学习绩效进行评价、分析，还要对管理部门的工作效能进行监控，实现教学督导的客体多元化、内容全程化。

完成课堂听课，只是对教师的授课有了基本的了解，可以进行基本的评价，但对课程教学整个过程的质量还不能由此下定论，要综合教学内容的组织、教学方法的选择、教育技术的运用、教学效果优劣等因素进行分析判断。而“导”的立足点也不能仅基于某节课，要随着课程的进度，有针对性、有时效性地提出具体意见，才能真正起到指导作用。特别是对于一些青年教师来说，长期的考察、全面的指导才能真正有利于他们的成长，以偏概全、急功近利的做法只会起到负面的作用。

### （四）能力发展

现代高等院校高等教育发展迅速，新理论、新思想不断涌现，这就要求教学督导队伍要不断学习，与时俱进，拓展思路，才能在不断发展中提高教学督导能力水平。为了能更好地胜任督导工作，需要不断学习，了解新知识和学科前沿的发展动态，在观念上勇于突破，时刻保持学习的态度，只有这样，才能更好地开展督导工作，更好地与被督导者沟通和交流。

1. 坚持以人为本

美国学者卢姆强调：“教育的基本功能是使个人获得发展。”发展性督导更强调目标的导向性、行为的规范性、改革的创造性、发展的持续性和结果的激励性。新形势下，教学督导工作要以发展为目的，以形成、改进为主，充分发挥形成性评价的反馈、纠正、改进、激励、强化等教育功能，真正使督导评价成为教育教学改革的推动因素。要在教学督导工作中牢固确立“以教师为本”和“督导就是服务”的理念，高度重视教师的职业生涯发展，着眼于被督导对象的专业成长和发展，通过检查为教师教学工作进行把脉，小到语言表达、板书、课堂时间利用，大到制订授课计划、组织教学、教学方法、教学内容等问题，为教师专业发展和教学能力的提高提供帮助和服务。建立教学督导工作流程和科学的教师教学工作评价体系，突出督导和评价的激励性、促进性和发展性，使教师成为教学督导评价中积极、主动发展的主体。通过教学督导，不断发现先进、总结经验、关注后进，引导教师和学生改进教学方法和学习方法，优化教学过程，提升教学质量。

2. 突出创新意识

高等教育教学要适应社会的快速发展，教学督导队伍的督导观念、工作范围、内容任务、评价标准等也要随之更新。在教学督导实践过程中既要继承督导工作的一些好传统、好做法，更要有强烈的创新意识。在督导工作中，教学督导队伍要与时俱进，将先进的现代教育理念及现代化的手段运用到督导工作中来，创新督导思想，创新督导模式，积极探索教育督导工作的新方法、新路子。同时，高校教学督导队伍还应有自觉的教育研究意识和良好的教学科研能力，善于对各种教学情况进行分析与综合、抽象与概括，得出规律，并以研究成果来指导教学督导工作的实践。

3. 加强研究能力

这是提高教学督导质量的重要保证。教学管理既是一种行政管理，也是一种学术管理，两种管理模式各有不同的目的和任务，不可互相替代，需要认真研究。在许多发达国家的教学管理中，学术管理功能是由教授协会来行使，教务管理部门行使行政事务管理功能。在我国，高校教学督导队伍要承担起学术管理功能。因此，要求教学督导队伍除对学科专业有很高的科研能力之外，还应有良好的教学科研能力，尤其是在教学督导方面的研究。

教学督导队伍主要是由具有丰富教学经验的专家教授构成，他们虽然德高望重，受到广大师生的普遍尊重，但也有其局限性，如教学理念固化，对新的教学方法、手段和技术也不十分熟悉等，在一定程度上会影响教学督导队伍对教师的教学做出科学公正的评价，难以对教师进行有针对性的指导。为了消除这种局限性的影响，需要教学督导队伍加强学习和交流，不断更新教育教学观念，熟悉新的教学方法与手段，了解现代教育技术特点，为顺利开展教学督导工作奠定基础。

# 第四节　教学督导队伍专业化素质模型解析与运用

高等院校教学督导队伍专业化素质，是一种专业性和实践性较强的能力素质结构体系。教育要遵循从感性到知性再到理性的认识规律，它既是高校素质教育所应遵循的一般规律，也是我们将专业知识和教学技能逐步内化为教育实践能力的心理轨迹。因此，高等院校教学督导队伍专业化素质包含了由角色认同、理论学习、业务水平、个人品质逐步发展为教育创新能力和职业精神的全部过程，其内涵十分丰富，通过以素质模型为基础对其构成要素进一步展开分析，揭示诸要素之间相互渗透、相互作用的关系，从而为督导队伍专业化发展指明方向。

## 一、角色认同是前提

教学督导人员在工作中要扮演好领导和机关的参谋、教学及教学管理工作的专家、教师和学生的良师益友等多种角色，这对督导人员的能力、素质和品德等方面提出了很高的要求。督导人员的学识水平、治学态度、个性品质、行为举止、工作态度等都直接影响督导工作的效果，是否认同角色、胜任角色是其中的关键。督导人员不仅要有丰富的教学或教学管理经验、较高的教学和管理水平、深厚的学术造诣，还要有热爱教育事业、高度负责、治学严谨、为人师表的师者风范；不仅要熟悉本学科专业的知识和技能，还应掌握相近专业的知识，了解当今科学技术和高等教育发展的最新动态。因此，教学督导队伍应注重兼职督导和专职督导相结合，一线教师和管理人员相结合，不同学科和专业相结合，使教学督导队伍具有合理的知识和能力结构，形成共同的角色认同感和价值追求，掌握正确的工作方法，使教学督导工作健康持续发展。

一是以身作则、为人师表。高校教师不但是教育者，也是教学的组织管理者。以身作则、为人师表就是要用坚定正确的政治思想和高尚的道德情操为学生做出表率，这是高校教师所必须具有的道德要求，也是督导人员的政治要求。给学生做好榜样不仅是在课堂上和表面上，而是要贯穿教学工作的各个环节，处处想到为人师表，以自己过硬的言行赢得教师和学生的尊敬。

二是热爱学生、关心成长。高校中的教师、学生来自五湖四海。互相关心，互相帮助，是我国的传统美德。热爱、关心、了解学生，是搞好教学督导工作的前提。学生是教学的主体，爱护学生，能够使教学双方的关系更为融洽，便于了解学生的情况，因材施教，从而有助于教学计划的顺利实施，更有利于有针对性地开展各种教学活动，同时在学生的成长道路上发挥重要作用。

三是治学严谨、谦虚谨慎。谦虚谨慎、严谨求实的作风是我国的优良传统，是每个从事教学督导的教师所必须具备的美德。治学严谨、谦虚谨慎既是一种工作作风，又是较高层次的职业道德要求。督导人员要具备踏踏实实的作风，来不得半点虚伪和骄傲，摆事实讲道理，实事求是；要尊重他人的劳动成果，广泛吸收他人的先进经验和劳动成果，先当学生再当老师；要虚心接受他人的批评和意见，有错必纠，知错必改。

## 二、理论学习是基础

一是树立终身学习理念。在教育督导发展中会不断出现新变化和新情况，要增强自觉学习意识，要建立学习制度，坚持集中学习与分散学习相结合，以分散个人学习为主，定期组织专题讨论，使学习与研究相结合，在提高自身素质的基础上，促进督导队伍整体素质的提高。同时，督导人员应抱着向教师们学习的态度，怀着去发现好的教学典型和总结成功经验的愿望，了解教学改革工作中的好经验、好做法、好典型，听取师生对教学工作的要求、呼声和意见，诚心地去发现、总结和推广优秀教师的教学经验，与教师一起探讨教学中存在的问题及原因，才能不断丰富自身的知识储备。

二是系统掌握政策理论。深入学习贯彻习近平新时代中国特色社会主义思想，系统掌握马克思主义的立场、观点、方法，以及辩证唯物主义思维方法，不断提高政治理论水平，提高辨别是非的能力，洞察事物的本质，掌握变化的规律；要坚持学习教育方针、政策及最新的法规文件，学习先进的教育理念和教学管理的知识，熟悉教学督导基本理论和实践方法。

三是坚持学习专业知识。合格的督导人员不仅专业基础知识要精深扎实，而且还应具备与专业密切相关的知识。一般来说，相关学科的知识主要有两大类：其一是同教学直接联系的学科，如伦理学、心理学、教育学、逻辑学等；其二是间接作用于教学的系统论、信息论、教育学等。专业知识深厚并能有效运用，是教师自身发展的基础，是“传道、授业、解惑”的前提。因此，督导人员要切实掌握本专业学科的知识和技能，逐步达到精通的程度。只有深钻细研，才能将本专业学科知识的内在体系和必然规律教授学生。

四是增强相互交流意识。交流意识对每名督导人员来说是必不可少的，只有通过交流，才能增进理解、学习知识、增强凝聚力，促进各种问题的及时解决。此外，教学督导工作还可定期召开督导工作交流，对业务理论进行学习讨论，交流体会，总结教学督导工作的得失，提高督导人员的业务素质。同时，还应加强高校间有关教学督导工作的交流和研讨活动，以促进和提高教学督导工作的实效。

## 三、业务水平是保证

一是要正确处理“督”和“导”的关系。凡是有目标的组织活动，就应有督查。通过督查才能发现教学工作中存在的问题，找出执行工作中的失误和偏差，才能使院校的各项教学工作规范有序地进行，并向着共同的目标迈进。院校的教学工作不仅需要“督”，更要重视“导”。通过科学有效地指导，激发广大师生的工作热情、创新精神，全面推进院校的教学工作和教学改革。“督”和“导”是督导工作的两个方面，不能割裂和偏废。督导者与被督导者之间应是和谐、宽容、平等、合作、信任的关系，要讲究督导工作的方式、方法，切实做到督导结合、寓导于督、以督促导、以导为主。

二是要坚决贯彻实事求是的原则。在设计督导工作方案时，要实事求是，充分考虑可行性问题。时间上要可行，不需耗费过多的时间和精力；财力上要可行，尽量避免不必要的浪费；操作上要可行，有较明确、便于操作的监控标准，指标符合院校教学实际，要求过高或过低都会直接影响督导工作作用的发挥；效果上要可行，结果易被广大教职员工所接受，易于整改提高。特别要指出的是，考核评价指标要以客观事实为标准，考核评价内容、标准、方式和方法要公平合理，防止主观因素的干扰和影响。有些指标在理论上属可量化的，但实际上无法定量，把质量绝对地量化做判断将有失偏颇。有些指标在某些教研室可测，在其他教研室未必可测，不能搞“一刀切”。因此，指标项目多少、繁简要适当，若貌似全面、实则烦琐，考核就难以实施和坚持，督导工作就有可能流于形式。

三是要大力激发督导工作的活力。要通过创新方法，建立督导信息交流研究的平台，借鉴别人的经验，拓宽自己的视野，审视自己的工作方法和效果，切实提高业务水平。可以通过创新条件，建立互联网背景下的督导工作新模式，在校园网设立督导网站，建立督导信息发布及信息反馈平台、教学质量信箱、与督导员对话专栏、设置教学情况反馈热线电话等，实施多形式、多渠道的信息交流，促进教学质量的全方位监控。

## 四、个人品质是基石

一是重视职业道德建设。高校要重视与加强督导人员的职业道德建设，选聘有丰富教学经验和管理水平的专家，并且注重督导人员的品德素养和声誉威望。督导人员对被督导者的经验、优点要充分肯定和发扬，对存在的主要问题和短处要敢于指出，同时要坚持公平公正。只有这样，才能帮助被督导者总结经验，改进教学方法，提高教学质量。

二是树立科学督导理念。教学督导人员在工作中要从教师的角度出发，提倡进行换位思考，把督导工作从原来以检查、监督为主转为鼓励和提倡为主。要摒弃简单监督、单纯检查的心态，在评教中以同行的身份出现，尊重教师，平等待人，抱着向教师们学习的态度，善于发现好的教学典型，虚心听取师生对教学工作的意见、要求和呼声，善于发现并推广优秀教师的教学经验，与教师一起探讨解决教学问题的有效途径。

三是全力以赴履职尽责。教学督导人员要充分认识教学督导工作的重要性，以高度的责任感和敬业精神来进行高质量的督导工作，要按照督导工作的规范程序办事，认真履行职责，按时按量完成任务，用心去投入，用智去解难，用情去感化，而不是敷衍了事；要善于团队合作，个人解决不了的难题，由集体商量解决，而不是轻易放弃。每个督导人员的工作，都是工作链中的一环，只要每一环都保证质量，相互间又有高质量的结合，督导工作就会产生强有力的效果。

综上，高等院校教学督导制度是通过教学督导工作监控教学全过程、保证教学质量的有效制度，是高校教学质量保证体系必不可少的组成部分。教学督导工作的高效运行有赖于建立一支德高望重、敬业奉献的教学督导队伍，有赖于完善的教学督导制度和科学的运行机制。应该从院校的实际出发，完善教学督导工作制度，加强对督导人员的遴选培训，使他们熟悉教育政策和教学理论，掌握管理制度和工作方法，力求教学督导工作规范化、科学化，不断提高督导效益。

# 第三章　教学督导队伍专业化培训体系

2018 年，习近平总书记在同北京大学师生座谈时强调："教师思想政治状况具有很强的示范性。要坚持教育者先受教育，让教师更好担当起学生健康成长指导者和引路人的责任。"作为教学质量一线的评价者和教师教学能力提升的助推者，教学督导人员是教员授课水平的评价者和引导者，因此，必须加强其素质培养，才能更好地推动教师队伍教学能力的整体发展。

目前，在高等院校教学督导实践中，针对教学督导人员培养这一重要内容重视不够，基本处于真空状态。一方面，高校在制定教学督导制度时并没有将其作为重要部分进行严格审视，许多高校的督导工作条例中并没有涉及督导培训，更多地讲教学督导的组织、聘任、权利、工作职责、考核办法等，这使得教学督导培训制度存在真空地带；另一方面，即使有些高校的教学督导制度中提及教学督导人员培训问题，但在内容、形式、方法与途径上并没有详细规定，使教学督导人员培训很多时候流于表面，甚至只是将工作例会等同于培训会等，使得教学督导培训在实施过程中容易走空。因此，有必要规范高等院校教学督导队伍专业化培训体系，建立完善的督导队伍培训机制，确保督导专家队伍的培训走深走实。

## 第一节　培训内容

费奥斯坦和费尔普斯认为，专业必须以大量的知识为基础，区分专业和非专业的标准在于知识的掌握程度。正是基于这种认识，一些学者，如哥林伍德、班克斯、奥斯汀等人在论述专业的标准时，都把具有"系统的知识体系和明确的知识体系"视为最重要的专业特征之一。

专业的知识是教学督导人员专业化的基础和先决条件，教学督导队伍要成为专业化的队伍必须掌握相应的专业知识。教学督导人员的专业知识主要来自先期教育和长期实践中不断总结学习的知识，是一个持续学习获得的过程。专业知识主要包括以下几个方面：相关政策条例、教学督导业务技能、现代教育理论、职业道德、个性心理素质、信息化教学素养，以及其他多元化培训内容。

## 一、相关政策条例

高等院校教学督导人员履行对教师教学的监督职责，承担着评价和指导的重要任务。在检查和督导过程中，督导人员扮演着教学管理执行者的角色，其一言一行对教师的教学影响重大。这就要求督导人员具有较高的政策水平，有一定的认识和概括事物的能力，能够用马列主义的方法去辩证地分析、解决问题，并能正确掌握党、国家和部队的方针、政策及相关规定精神，实事求是地评价教师的课堂教学工作和教学管理工作。因此，教学督导人员应该认真学习党和国家的教育政策和方针。例如，2012 年 10 月 1 日国务院颁布施行的《教育督导条例》，2018 年 12 月 29 日第十三届全国人民代表大会常务委员会第七次会议通过修改的《中华人民共和国高等教育法》，2020 年 2 月 19 日中共中央办公厅、国务院发布的《关于深化新时代教育督导体制改革的意见》，以及各省市和各级院校自行制定的《教育督导条例》《教育督导工作规程》《教学管理工作规范》等相关教育政策和条例。以各高校为例，教学督导人员还应学习各单位的人才培养方案、课程教学计划、教学督导工作办法、课程教学质量评价办法等具体政策、条例和规定。如此，教学督导人员在督导过程中，有着上位法的依据，才能做到心中有数、言之有物。

## 二、教学督导业务技能

高等院校教学督导工作是高校整体运行体制的一个重要组成部分，而教学督导工作是一项政策性、业务性很强的工作，工作范围涉及教学指导思想及教学管理的各个环节。为了有效地开展督导工作，督导人员必须具有较高的文化水平和较强的业务能力，既要有一定的管理教育工作的实践和能力，又要有一定的教育工作和教学经验，熟悉和掌握各种教学监督、指导和评价的业务技能，因此，教学督导人员需要具备多方面的业务能力。

### (一)丰富的教学经验、出色的教学能力、一定的评估能力

虽然遴选条件严格，但在督导实践中，仍然存在督导人员身份背景不被广泛认同的现象。例如，当督导人员督导与其自身学科专业相差较远的课程时，可能受到“这些内容他们是外行，不懂”的质疑；当督导人员开展教学秩序督导时，可能受到“他们不擅长教学管理，不是内行”的质疑；当督导人员对有些教学内容、方法、手段提出个人见解时，还可能受到“新知识、新手段他们也不掌握”的质疑。总之，当督导人员的教学经验、教学能力不能得到广泛认同时，就会影响和制约督导工作健康有序发展。因此，教学督导人员不能只当裁判员，不当运动员。教学督导人员要深入到教学一线，积极建设校级、省级或国家级的一流课程。一方面，教学督导人员在教学实践中不断提升自己的教学能力，了解学生的真实状况；另一方面，教学督导人员也需要随时接受其他教师的观摩。扎根教学一线、教学能力扎实的教学督导人员才能真正了解教学中的痛点，才能一针见血地抓住教与学的症结，才能使被督导对象心悦诚服。

因此，除了加大遴选力度，还需在培训过程中，对督导人员进行有针对性的培训，目的是使其对各个学科专业有一定深度的认识，对教学方法、手段有一定了解，对教学管理的各个环节有一定认知，从而逐步形成被广泛认可的教育评估能力。

### (二)敏锐的洞察能力和分析判断能力

所谓“洞察力”，就是观察事物的能力。用弗洛伊德的话来说，洞察力就是变无意识为有意识。就是学会用心理学的原理和视角来归纳总结事物的实质。简而言之，洞察力是指当一个人面对十分复杂的情况时，迅速地抓住问题的关键并找到解决问题途径的能力。高等院校教学督导人员担负的使命在于根据督导任务进行检查评估，在听课、观察和访谈等活动中及时预测并诊断，察觉问题的所在，把握方向，提出整改建议。这就是督导人员敏锐的洞察力。敏锐的洞察力不是与生俱来的，而是通过大量的实践锻炼出来的。在专项督导过程中，往往都要求各个单位提供相应的支撑材料。但如果仅对支

撑资料翻翻而已，很难发现背后的问题。从哲学上讲，凡事都有前因后果。事物的发生、发展都有一个合乎逻辑的过程。督导时，督导人员不但要善于了解，更重要的是要学会全方位地了解事物。对事物的形成过程仔细观察，认真研究，有利于对事物的发展趋势做出准确的判断。许多事情往往有其复杂性、隐蔽性和多变性，这就使我们很难一眼看清它的真实面目。此时，不要被事物的表面所迷惑，要处之泰然，平静面对，要分析哪些成分可靠，哪些成分虚假，即对事物加以认真细致的考察，进而抓住要点，剥丝抽茧，层层深入地掌握事物的本质。当洞悉其本质时，才能做出准确的判断。在督导过程中，仅凭听课，查看资料，一般是无法发现实质性问题的。即使找老师、学生座谈，假如你缺乏智慧和敏锐，不善于察言观色，没有细致的洞察能力，面对训练有素的老师和学生，也许根本发现不了蛛丝马迹。唯物论要求全面看待问题，分析问题。只见树木、不见森林的人，永远无法了解森林的全貌。世界上的一切事物都不是孤立存在的，彼此之间存在着千丝万缕的联系。只有对事物进行综合分析，把一切有联系的因素都考虑进来，然后详加分析、考察、比较，再做出判断，才会使事物的本质清晰地呈现出来。因此，洞察力是一种综合能力。要深入了解事物或问题，首先要积累必要的知识，否则无法深入，只能看到事物的表面。遇到问题一定要集中注意力，去认真思考，从而进行正确的分析和判断。个人的实际经验也可以成为洞察力的一部分，当接触的事物多了，处理过的问题多了，一旦再次遇到类似的事，便能瞬间明白其中的道理，看穿事情的“真相”。总之，丰富的阅历、集中的注意力、很多的生活经验，是提高洞察力的关键。在督导过程中，对事情的变化及心理活动的细微变化的及时捕捉，有助于提高督导效率，达到事半功倍的效果。当然，这种能力也可通过系统地培训加以提高，因此，敏锐的洞察力和分析判断能力是教学督导业务培训的重要内容。

### (三)良好的沟通协调能力

在教学督导过程中，教学督导工作与学校的方方面面发生这样或那样的联系，需要良好的沟通协调能力。教学督导在一定程度上是一个不太受教师、学生、教学管理人员欢迎的角色，天然地站在被督导对象的对立面。如何站在学生的角度审视教师，如何站在教师的角度审视学生，如何充当教与学的桥梁和纽带，从而促使高校真正实现教学相长，是教学督导人员需要认真思考的问题。如何客观评价课堂教学质量，指出问题和不足，彰显教学督导的严肃性，同时又能“温柔”地进行提醒和指导，促使教师提升教学能力，教学管理部门转变工作作风、优化工作流程、制定合理制度，更是教学督导人员需要深入探讨研究的问题。教学督导人员既要是教师、学生、教学管理者的监督者，又要是他们的引导者，更要是他们的朋友和同行者，需要具备沟通协调能力。怎样才能“督”得恰到好处，如何方可“导”得春风化雨，需要教学督导人员具有极高的沟通协调能力，这是督导人员应该修炼的硬核能力之一。

### （四）调查研究、信息处理及文字表达能力

调查研究与听课评价是教学督导人员的经常性工作，在调研时需要对相关信息进行处理、撰写调研报告，听课时为恰当地评价课堂质量必须写听课总结，参与其他评估时必须有准确得体的文字表述。在督导中发表指导意见，要联系实际、观点明确、逻辑严密、语言生动、有较强的说服力。

为了客观公正地对被督导人员的课程设计、课堂讲授、教学文件等进行评价，教学督导人员需要对被督导人员的各类信息进行研判、对比、打分。如果不对多个督导数据进行统计、分析和总结，或统计、分析和总结不及时，督导的作用就不能有效发挥。督导人员应根据当月的听课情况和查阅的材料，及时将数据进行统计、分析和比较，并生成直观的图表；学期、年度结束，对学期、年度数据进行统计、分析和比较，并生成直观的图表。同时，及时反馈组长、考评中心、教学科研处、校领导和各院(部)，以便各层级及时了解实情，发现问题，思考对策。在此基础上，教学考评中心进行材料的收集、记录、整理，总结本月发现的教风、学风及管理方面存在主要问题，并提出整改建议。因此，督导人员对各类信息的收集、处理和表达能力非常重要。

### （五）对督导流程和标准的熟悉能力

高等院校要切实纠正“一聘就能用，用了肯定灵”的观念。一般来说，理想的教学督导人员应具备深厚的学科专业知识、较强的教学研究能力和丰富的教学管理经验，实现学科专业教授、教学研究专家和教学管理专家的“三统一”，方能胜任教学督导工作。实际中，很难聘用到能够达到理想标准的教学

督导人员。督导人员往往是某一方面或两方面的专家，特别是教学专家。这些专家在上任之初，对教学督导的流程、标准、相关规定等方面还不甚了解。因此，需对督导的职责、目的、作用、流程、标准、管理规定、纪律要求、信息反馈、问题处置等具体内容进行有针对地学习培训，并组织考试，合格者取得督导资格证后方能上岗。督导人员应熟练掌握督导流程和相关标准。

### （六）创新和专业发展能力

科学研究、教育教学改革都处于发展之中，新的理论成果、教学方法和手段都不断出现，学生创新能力的培养也越来越受到重视，培养创新人才是教育的最高目标。华东师范大学博士生导师袁振国对建立教育的创新体系发出号召，指出："未来社会综合国力的竞争，归根到底是知识创新的竞争，是创新人才的竞争，是教育能否有效地培养创新人才的竞争。为此，我们必须以新的人才观念审视我们的教育，确立新的教育培养目标。"为了适应创新教育形势的发展，为了保证教学督导工作的正确、有效，教学督导人员不能用老眼光，凭经验办事，必须勇于开拓创新。因此，"教育督导要获得可持续性发展，就不能没有教育督导的创新"。在当今社会飞速发展的背景下，创新是社会发展的潮流，教学督导也要打破常规、勇于创新，以适应教育发展需要。这就要求督导人员积极探索教学督导工作的新方法、新路子，因此，创新能力是当代教育督导人员应具备的能力。就新时代高等教育而言，随着本科教育教学质量要求不断提高，创新创业教育和互联网+教育在高校中广泛而深入地实施，教学督导不能固守以往的经验来要求教师和学生，而是在提升自身政策素养的同时，提升自己的学术水平，尤其是掌握新时代的教学评价手段，这些都是新时代教学督导培训的重要内容。

教学督导工作的性质决定了教学督导人员是不断学习、不断进取的终身学习者，职前培养、入职教育和在职培训"三位一体"是一个连续的过程，而培训和实践的反复则是教学督导人员专业化发展的必经之路。教学督导队伍的专业化发展是督导人员在督导生涯中通过在职学习、脱产培训、参观、实习和研讨等各种形式，进行持续不断的学习，使自己的知识、技术和能力得到不断的更新和加强。这就需要将教学督导的理论和实践经验运用到教学督导的实践中，并不断总结、反思和再学习，形成螺旋上升的发展过程，进而形成教学督导人员各有所长的专业团体。具体而言，教学督导人员在督导的实践工作中，需要通过进一步的学习来掌握教育的基本理论、教育管理的基本知识，以及我国教育基本方针、政策和法规，为更好开展教育督导工作打下坚实的理论基础，再将教学督导理论的新理念、新成果运用到实际督导工作中，并在工作中不断总结经验，用理论指导实践，用实践充实理论，不断学习进步，使教育督导人员的专业素养得到发展。

## 三、现代教育理论

教学督导人员不仅要具有扎实的专业基础知识、熟练的专业实践技能、丰富的专业前沿知识及相关知识，还应具备一些教育学、心理学、管理学等方面的知识。这要求教学督导人员不仅要掌握教学督导和教学评价的理论、技术和方法，具备扎实的高等教育学、教育心理学、高等教育管理学方面的知识，还要具备一定的学校组织和管理等方面的知识，特别是随着知识经济时代的到来、国际交流合作的加强，教学督导人员不仅要熟知国内高校教学改革的信息，而且还必须了解国外高校相关方面的发展现状。教学督导既要重温传统的经典理论，也应该涉猎新颖的潮流理论；既要掌握本国的教育理论，也要汲取国外的教育理论。

从事教学督导工作的人员应当适当了解经典教育著作及核心思想。例如，《礼记·学记》是中国教育乃至世界教育史上第一篇专门论述教育问题的文献；柏拉图的《理想国》认为教育的最高目标是培养“哲学王”；亚里士多德的《政治学》认为教育事业应该是公共的，而不是私人的；昆体良的《雄辩术原理》(又名《论演说家的教育》)是西方第一部教育专著；桑代客的《教育心理学》是西方第一本以“教育心理学”命名的专著；夸美纽斯的《大教学论》标志着独立形态教育学的开端，该书被认为是近代第一本教育学著作；维果茨基的《教育心理学》主张必须把教育心理学作为一门独立学科的分支进行研究，并提出了“文化发展论”和“内化说”；卢梭的《爱弥儿》要求教育应遵循自然天性，也就是儿童在自身教育和成长中取得主动地位；康德的《康德论教育》认为“人是唯一需要教育的动物”，他是最早在大学开设教育学课程的教育专家；洛克的《教育漫话》提出了“白板说”；赫尔巴特的《普通教育学》标志着规范教育学的建立，他是近代德国著名的心理学家和教育学家，在世界教育史上被认为是“现代教育之父”或科学教育学的奠基人；杜威的《民主主义与教育》是现代教育理论的代表；布鲁纳的《教育过程》提出“结构教学论”；朗格朗的《终身教育引论》提出“终身教育”思想，被公认为终身教育理论的代表作；乌申斯基的《人是教育的对象》是俄罗斯教育心理学的经典著作；克鲁普斯卡娅的《国民教育和民主主义》是以马克思主义为基础最早探讨教育学问题的著作；苏霍姆林斯基的《给教师的建议》和《把整个心灵献给孩子》认为学校教育的理想是培养全面和谐发展的人；加里宁的《论共产主义教育和教学》和《论共产主义教育和教学》重视道德教育和劳动教育的作用；卡普捷列夫的《教育心理学》是俄国第一本教育心理学著作；凯洛夫的《教育学》总结了苏联20世纪二三十年代社会主义教育正反两方面的经验，构建了教育学的理论体系，论述了全面发展教育的意义，着重阐述了智育及教养的地位和作用；赞可夫的《教学与发展》提出了发展性教学理论的五条教学原则；廖世承的《教育心理学》是中国较早的一本教育心理学教科书；杨贤江的《新教育大纲》是我国第一本马克思主义教育学著作；马卡连柯《教育诗》和《论共产主义教育》提出了通过集体和生产劳动来教育儿童，以及在集体中进行教育的原则和方法。

教学督导人员应具备较高的职业素养、学校管理经验和专业教学能力，要能够从纷繁复杂的教育、教学和管理现象中抓主要矛盾，会运用现代化的教育理念分析问题，提出意见，解决问题。只有这样，才能有效地实现对教学工作的评价、监督、反馈和指导，促进学校教育教学工作的进一步改革和发展。现代教育理论学习和培训，是提升督导人员职业素养和教学能力的重要途径，因此，现代教育理论是教学督导业务培训能力的重要内容之一。

## 四、职业道德

职业道德是专业人员在专业环境下应具备的行为规范和道德品质的总称。职业道德是教育督导队伍专业化的基础，是教育督导人员在督导过程中的行为准则，教育督导队伍专业化是一个个体和集体不断努力的过程，职业道德也应该不断丰富其内涵发展，提出更高的道德要求。一个合格的教学督导人员必须符合多方面的条件，才能胜任教学督导工作。因此，高等院校应十分重视与深入加强督导人员的职业道德建设。学校不仅要选聘有丰富教学经验和管理水平的专家，更要注重督导人员的品德素养和声誉威望。具体来说，就是要具备以下职业道德。

### (一)要树立正确的指导思想和严格的工作准绳

要树立全心全意为教育事业服务的思想，具有高度的社会责任感，并用这种思想觉悟去感染、熏陶和影响被督导人员，用马列主义的立场、观点、方法去分析实际工作中的问题，使高校教育工作沿着正确的方向前进。教学督导人员要以国家的教育方针、政策、法规和条例为准绳，来指导自己的工作和言行，使工作符合各项政策要求，不能随性而为、随意发挥。

### (二)在督导过程中要不摆架子、态度要和蔼

不摆架子，不给被督导人员一种傲慢的感觉，否则就可能达不到督导的目的和效果。督导人员在工作过程中态度要诚挚、作风要民主、语言要温和，善于与人交往，平易近人，使人产生敬佩的心理。尊重被督导单位和被督导人员。督导人员要对被督导者的经验、优点给予充分的肯定和发扬，对存在的主要问题和短处要以恰当的方式予以指出。只有这样，才能帮助被督导者总结经验、改进教学方法、提高教学质量。

### (三)在督导工作中要坚持原则、敢讲真话

督导人员要注意自己的行为，要遵纪守法，以《督学行为准则》来严格要求自己，要有良好的工作作风，坚持原则，敢于说真话，不怕得罪人，为广大教师和学生做表率。同时，对弄虚作假的现象，能及时发现，及时制止和纠正，并引导其解决，以免影响教育督导工作的客观性和公正性，影响教育督导的监督、检查和指导的职责，保障教育督导的客观公正性。

### (四)要具备高尚的职业道德和崇高的敬业精神

任何一项工作都只有具备高尚的职业道德才能自觉担负职责、努力钻研业务、真正投入工作。作为教学督导人员，要树立全心全意为学校教学工作服务，以及为教师、学生服务的理想和意识，把帮助和指导教师改进教学工作、提高教学质量，引导学生努力成为社会需要的优秀人才作为自己的根本工作职责。

## 五、个性心理素质

教学督导人员要有健康的体魄，能够适应比较繁重的督导工作；要有坚强的意志品质、乐观向上的人生态度，用自身良好的精神风貌感染和激励他人；要有健康稳定的心理素质，在开展教学评价等督导工作时，善于独立思考，不盲从、不迷信，在面对各种复杂情况时不会受到明显干扰，保证对人和事物做出客观公正的评价。教学督导人员要善于与人打交道，平易近人，工作做得更出色，就必须对自己专业以外的领域有很强的好奇心和新鲜感，有广泛的兴趣，这样才能很快适应督导工作的需要，提高教学督导的水平和质量。因此，任职前的心理素质培训也是重要的内容之一。

## 六、信息化教学素养

2018 年 4 月《教育信息化 2.0 行动计划》的发布，2019 年 2 月《中国教育现代化 2035》的推出，为教育教学方式变革指明了方向，即信息技术与教育教学深度融合创新发展。2022 年 1 月全国教育工作会议，也把“推进教育数字化战略行动”作为七个重点工作之一。当前，信息化教育和智慧教育已成为全球教育改革和发展的重要方向，军内外各院校也都把智慧教学改革作为教学研究的一个重要方向。信息化教学、在线课程、混合教学、翻转课堂、慕课等，此类教育领域的新生事物层出不穷，倒逼着高校教师进行教改实践。

一般来说，新进的青年教师的思维非常活跃，喜欢尝试新鲜事物。作为教学督导人员，自然不能站在岸上观望，也应该勇敢地跳进新时代的海洋去弄潮，积极探索信息技术与本科教育教学的深度融合途径。只有深度参与教改实践的教学督导，才能深刻领悟教育理念，才能更好地掌握信息化教学的工具和技巧，才能不停地更新自己的知识结构，才能与师生拥有更多的共同语言，才能更好地履职。因此，学校应该高度关注教学督导人员的信息化水平，应该采用一系列措施，引导教学督导人员在课程教学和督导工作中深度融合信息技术，提高教学督导人员的信息化素养。

## 七、其他多元化培训内容

从资源依赖理论来看，高等院校高等教育督导队伍建设处于社会大系统中，需要充分把握身边的资源，才能促进自身的发展。培训内容应该结合时代发展及时进行调整，积极引入第三方社会评价机构。依赖社会第三方组织，搭建资源共享平台，对培训内容进行调整，实现督导队伍建设与时俱进。此外，还能打破区域之间的封闭性，实现区域间资源零距离分享与经验交流，通过在实践中不断交流和互动，提高督导人员的素质，增强督导人员的灵活性和开放性，提高督导队伍建设的续航能力。

## 第二节 培训方式

快速发展的高等院校教育要求教学督导队伍必须是一支学习型的队伍。因此，对教学督导人员进行有计划、有系统的岗位培训非常必要。在具体培训方式上，可以分为岗前培训、定期培训、专题培训、完善性培训、线上补充性培训等。

### 一、岗前培训

督导结果的客观和公正是维护督导工作权威性的根本保证。教学是一个复杂的系统工程。要对这复杂的系统工程做出客观、公正的评价，就需要教学督导人员有较高的工作水平。教学督导人员受聘后应接受岗前培训。教学督导人员岗前培训的内容主要包括以下几个方面：一是如何做好督导评价的准备工作；二是如何对教师的教学过程进行评价；三是如何对收集到的信息进行分析整理；四是如何写督导评价工作报告；五是督导评价结束后，如何向学校反馈督导评价意见等。

对此，教学督导人员在入职前，可接受1~3个月的系统性岗前培训。培训方式分为在线培训和面对面培训。

在线培训包含两种方式，一种是录入课程资料，开设交流平台，督导人员使用移动端设备即可实现自主学习及交流工作经验；二是制定课程时间表，督导人员在指定时间登陆e-Learning等系统接受实时培训，课后可与培训专家进行答疑。

面对面培训的方式主要有七种：一是系统授课，组织资深教学督导专家为督导人员进行系统授课；二是专题讲座，由教育行政部门或培训机构邀请高一级别的督导专家、全国知名教育督导专家、研究人员针对某一专题进行理论讲解及案例分析；三是互动研讨，类似于学术研讨会，组织机构召集督导专家和新入岗的督导人员展开讨论，督导人员可就自己实际工作中的经验或问题进行讨论学习；四是实地考察，组织教学督导人员到兄弟院校进行实地考察，了解其他高校的教学情况、督导情况，学习先进的经验和理念；五是情景模拟，情景模拟实训这一现代化教学方式已覆盖了各级院校教育培训主体班次，是模拟教学督导过程、提升教学督导综合素质和实践能力的有效培训形式；六是跟岗指导，培训部门安排资深督导专家陪同督导人员进入课堂，以参观、观课、试评、试反馈、试导等方式进行实地督导，并由资深督导从旁进行观察和指导；七是考核验收，合格者取得督导资格证后方能上岗，以保证新入职的督导人员尽快进入角色。不同院校或专业可根据实际需要，选择一种或多种方式对督学进行理论及实践培训。

## 二、定期培训

教育督导人员的在职定期培训也是一种重要的提高教育督导队伍专业化的方式。目前，高等院校教学督导人员多为兼职且人数相对较少，系统性岗前培训在经费和时间上有一定的困难，各院校的督导部门要建立灵活多样的在职定期培训机制。

定期培训每年大约 10 天左右。主要组织教学督导人员学习研究教育教学理论及其相关知识；明确教学督导的意义，增强工作责任感；不断更新教育教学观念；明确教学督导的指导思想，形成正确的工作方法；熟悉所在学校教学工作的有关规定及教学条件，讨论确定教学督导的性质、任务、工作范围及规章制度等，使教学督导工作能够有章可循、有序开展；深入研究教学法，做教学研究的先锋，定期研究如何进一步改进教学督导工作，以便更客观、更公正地做好教学督导工作。

在培训的内容上，要根据教育督导人员的分工不同，提供不同的教育理论知识、教育政策与法规、教育督导技术与方法、课程与教学论等方面的学习。在培训的具体方式上，可采用以下五种：一是全面学习，与高校合作，充分利用高校的科研成果和人力资源，对督导人员进行全面的、深入的学习；

二是讲座，请有关教育督导方面的学者、专家到本地举办讲座，既可以节省培训费用，又不影响工作；三是自学，教育督导人员可以结合自己的工作实际，对有关教育督导方面的新知识、新方法进行学习，养成边工作边学习的好习惯；四是参观，是教育督导人员间互相学习、交流，取长补短，共同提高的一种方式，可在国内各省、市间进行参观交流，也可到国外进行参观交流；五是研讨，是有计划、有准备地对教育督导的理论和实践进行研究和探讨，交流经验探索教育督导工作的规律，有利于提高教育督导队伍专业化理论水平和专业能力。高等院校的教学考评中心和教学科研部门要采取一些积极有效的措施，鼓励教育督导人员对教育督导知识的学习和对问题的研究。

## 三、专题培训

依托教师发展工作室，适时组织新知识、新理论、新技能的专题培训，具体形式可采用讲座、沙龙、研讨等方式，具体内容可包括微课制作、OBE教育理念(Outcome based education的缩写，即成果导向教育)、影视视频制作技术、一流课程建设、混合式教学与评价、实践教学与评价、综合技能训练教学的组织与实施、实习演习存在的主要问题与对策、多媒体设计与制作、课程改革与创新、课程考核改革示范课建设、课堂教学质量常态化监测评价指标解读、信息网络知识等，目的是不断提升教学督导人员的专业技能。

## 四、完善性培训

时代在前进，要求教学督导工作要站在更高的起点上，创造性地开展工作，达到新水平，开创新局面。做好教学督导工作，单凭旧有经验是不够的，必须与时俱进，加强学习，更新观念，紧跟教育教学改革的形势。完善性主要是指督导人员根据自身情况，利用各种机会开展的自我培训和提升，主要包括自我培训、外出学习、内部交流和双向学习。

### (一)自我培训

教学督导人员要提高对教学督导工作的认识，要认识到教学督导工作对保证教学质量、促进中国教育事业发展的重要意义，要认识到自身素质的提高对教学督导评估、教学督导工作的极端重要性，要充分调动自己作为主体的积极性和创造性，坚持不懈地学习。教学督导不仅要认真学习教育法规、新的教育理论、新的教学方法和手段，还要不断研究教学督导的方式方法、技能以不断提高自己的督导水平，从而在根本上提高自己的能力素质。督导人员通过重视自我学习，以求接受新信息，吸纳新的教育理念，探索学校教育教学改革的新途径、新举措。通过学习，能够增强督导人员对工作的主动性和实效性。

### (二)外出学习

为了拓展思路，促进督导工作的进一步发展，督导人员还应注意加强外出学习考察，可采取“走出去，请进来”的方式。组织督导人员走访省内外高校，进行实地考察，了解其他高校的教学情况、督导情况，学习先进的经验、理念和督导方式，丰富督导工作经验。

### (三)内部交流

教学督导人员要不断实践并注重成员间的互相学习。教师等具备一定的条件才能成为教学督导人员，而要成为一名优秀的教学督导人员，不但要接受教学督导理论的培训，而且更重要的是要在实践中学习。在这方面可以采取教学督导人员的示范课、内部的传帮带、研讨会和交流会等形式进行相互学习，具体方式如下。

第一，教学督导人员的示范课。教学督导人员通过自己的示范课对教学的全过程进行切实的体验，对教学各个环节的把握、教学的难点重点的处理开展研究，这对提高教学督导能力很有成效。

第二，教学督导人员内部的传帮带。教学督导人员是一个特殊的群体，无论是思想、知识、能力，还是经验，在学校的教师群体中都占有特别地位，因此，要注意其自身资源优势的互补与发挥，要发挥教学督导人员内部传帮带的作用，以老督导员培养新督导员，新老督导员取长补短、互相启发、共同提高。

第三，教学督导人员的研讨会和交流会。研讨的目的在于总结教学督导工作的得失，提高教学督导人员的业务素质。教学督导工作中要经常进行交流，定期召开督导工作的交流会，进行业务学习，理论探讨，交流体会，总结提高。

### （四）双向学习

一般情况下，都是教师向督导人员学习，双向学习提倡督导人员与督导对象互相学习。教学第一线的老师，他们有专业特长，而且又是教改的实践者。重视他们的见解，总结他们教改的经验，对深化教学督导工作有重要作用。教学督导人员应向教师学习，在工作中多听取教师的意见，与教师共同探索教学改革。教学督导工作的思路和方法必须坚持从教师中来，到教师中去，才能使教学督导工作不断有新启发、新进展。

## 五、线上补充性培训

除了传统培训方式外，还可创新教育督导培训形式。新时代高校教育的发展强调对信息技术的灵活运用。利用信息化平台，构建培训网络包，打造线上与线下相结合的培训课程，打破以往单一的线下培训形式，并作为线下培训的有机补充。同时，由于线上课程有着丰富的资源，面向全国督导队伍建设机构开放，一方面解决了培训师资短缺、地方培训师资差异性大的难题；另一方面可以为督导人员提供职前和职后培训，并能联系相关学科的专家、职业技能丰富的企业教师及社会优秀人才，从而提升督导人员的能力素养。在利用线上课程对督导人员进行针对性的专业培训的同时，还要结合线下课程引导督导人员进行实践，从而促进理论与实践的融会贯通，提高学习效果。线上与线下相结合的培训方式，不仅为督导人员的发展建立了丰富的网络平台，打破了以往课堂的局限，让原本枯燥的培训过程变得生动起来，还节约了培训资金。

# 第三节 培训考核

科学合理的考核评价制度是加强职业教育督导队伍建设的重要步骤，是对建设目标是否落实的及时反馈，也是促进督导人员提高自身素质和工作质量的重点。因此，应结合职业教育督导队伍建设的多元性与综合性，构建职业教育督导考核评价制度。

建立科学合理的教学督导能力评价机制。教学督导能力评价机制是一个非常有意义的话题。选拔教学督导，高校基本上采用的是模糊的“印象派”做法，即某某教师教学能力不错，适合担任督导工作，那就吸纳他为督导组成员。评选优秀教学督导，牵涉到如何评价督导的工作实效，基本上也是类似的“印象派”做法。实际上，建立科学合理的教学督导能力评价机制是非常必要的，这套机制同时可以作为督导的准入机制和退出机制。此外，这套评价机制还可以供督导人员自行评测，自行评估自己的督导能力，便于其找不足、补短板，明确努力的方向。教学督导能力评价机制应该科学合理，考虑周全。

## 一、形成性考核

为了衡量教学督导在培训期间的学习情况，可以通过打卡、小测、试评等方式进行形成性考核，对教学督导人员相关课程的学习进程、学习效果、学习能力等进行前期把握。

由教学考评中心组织考核，考核方式可借鉴实践课程。根据学习内容，每个单项学习任务满分为 10 分(包括课外实操性作业)，完成后给出任务总分，满分为 10×N(N 为学习任务的数量，通常为 6~7 个)。缺席者为 0 分，病假记 6 分(病事假须有佐证材料)，事假记 5 分。学习笔记满分为 20 分，根据各受训者上交的《学习工作页》评分，取多次分数的平均分。个人发言 20 分，根据培训过程中，教师提出的综合性问题的回答情况评分(综合性问题包括小组讨论情况陈述、工作小结等)，发言以个人自愿和教师抽点相结合，取多次分数的平均分，全程无发言的计 5 分。

如培训过程包含线上培训，则可参考慕课混合培训模式进行考核，一般线上内容不超过 40%，可取代整个培训任务中的 2~3 个，即占比 20~30 分。慕课混合培训模式的考核由慕课学习认证和集体面授的过程性考核两部分组成。其中，获得慕课学习认证的标准一般包括完整的课程学习过程、学习参与，以及相关的形成性和总结性的课程目标实现程度等，所以考核标准相对严格。这种以第三方认证为主的考核方式，可以有效提高教师在培训中的参与度，促进教师在学习中的深度交互，真正达到培训的目的。

作为高等院校的教学督导人员，相关培训的要求务必提高，因此，形成性考核的合格成绩应为 85 分及以上。

## 二、闭卷考核

教学督导评价指标体系属于以文字描述为主的评价工具，工具使用的成效受到使用人员素质和能力差异的影响和制约。督导组成员均为资深的教学行家、富有管理经验的领导，但是个人专业结构、工作经历、理论水平、思维认知、个性品格等各方面的差异，以及受环境和人际关系等因素的影响，会在操作过程中或多或少地产生执行评价指标的差异，这是正常和不可避免的。要控制这种差异，就要加强督导人员对评价指标的学习和研究，提高督导人员的整体专业化素质和能力，建立执行评价指标的操作规范规则，对督导前准备、现场督导、督导报告等环节提出具体规范和要求，改进和完善教学督导评价质量监督和评价制度。

为了检测教学督导岗前培训的结果，可以通过闭卷考试的形式，考核督导人员对相关教育理论、政策方针、业务技能、职业道德、心理素质、信息化教学素养等相关内容的掌握程度。对于日常线上的培训，培训部门可以根据每次培训内容，于培训结束后在相关线上学习平台更新考试题，并由受训人员作答后，汇总成绩，以试卷结果作为受训人员考核结果的参考。

作为高等院校的教学督导人员，相关培训的要求务必提高，因此，闭卷考核的合格成绩应为85分及以上。

## 三、实践考核

高等院校教学督导的主要任务是对教员的授课情况进行评估，未经培训的教学督导由于对业务流程、评价标准、职业素养、心理素质等不够熟练，在现场打分时容易受到外界干扰，从而导致分数与资深专家们有较大出入。这就需要初入职的教学督导先进行跟听、试评，并由资深专家进行点拨、指导，直至试评分数，特别是结论与大多数资深专家较为一致时，才算通过实践考核，正式上岗。当督导人员督导与其自身从事的学科专业领域相去较远的课程时，更要特别注意这一点，否则容易出现“这些内容他们不懂”等不认同感。因此，为了提高教学督导的实际能力，需进行实践考核。

具体考核方式为学校教学督导部门负责牵头组建考核小组，成员为5~7人，由外校教学督导专家、本校教学督导专家、教学考评中心负责人、教学科研处负责人、本专业教师等组成，在固定时间内，对本专业课程、相关专业课程、与自身专业相差较大课程三类课程的教学过程进行现场打分，写出各教学过程与授课质量评估标准之间的差异，并对好的方面、差的方面进行点评，由专家进行量化评分，综合考察新督导人员对督导流程、评价标准、职业素养、心理素质、政策条例等培训的掌握程度，以及培训与实践的互融互通。此外，安排新督导人员与三类课程的授课人员进行沟通协调，由专家全程观察评分，对其沟通协调能力、评价结论的认同感等方面进行考核。

# 第四章　教学督导队伍专业化制度建设

制度分为岗位性制度和法规性制度两种类型。教学督导队伍专业化建设制度，本质来说是一种岗位性制度，用来对教学督导岗位的各项工作内容和工作行为进行明确、规范、约束和激励，以促进教学督导队伍更加专业、高效。为更好发挥制度作用，在建设过程中，应从遴选、管理、考核、激励等方面，建立配套的制度机制。

## 第一节　教学督导队伍遴选机制

加强教学督导队伍专业化建设，基础和源头在于教学督导队伍的遴选。目前，督导队伍遴选仅是粗放地对督导人员个体素质和督导队伍结构的大致把握，缺乏科学性和可操作性，尤其是对督导队伍的遴选标准、程序、方法研究不深，亟须从机制层面进行系统规范。

### 一、坚持科学的遴选原则

教学督导队伍是教学督导活动的关键资源，是督导工作实践中最具有能动性的部分，其遴选是否科学、合理、规范，关系到督导队伍能否取得督导对象的信任，以及督导工作能否取得实效、能否切实提升教学质量。要充分认识做好督导队伍遴选工作的重要意义，把督导队伍遴选提到影响督导工作全局的高度，按照新时代党的教育方针，科学遴选督导队伍，从起点落实督导队伍专业化制度建设，切实推进教学质量管理和监控的制度化、规范化，避免把教学督导机构当成离退休教授的“养老院”，避免督导队伍遴选的随意化、机械化。

一是以立德树人为导向。习近平总书记指出，立德树人是现代教育的根本任务。院校是为党和国家培养人才的地方，在任何时候都要把讲政治放在第一位，要始终坚持从思想上、政治上建校治校，把思想政治教育贯穿育人全过程，教育引导广大学生坚定理想信念，筑牢政治意识，永远忠于党、忠于国家、忠于人民。教学督导队伍可以说是教师在教学工作中的领路人。因此，遴选教学督导队伍必须注重政治素质和政治能力建设，要求其做政治上的明白人、办学上的专门家，以铁一般的忠诚担当，扛起为党和国家培养坚定举旗人、可靠接班人的重任。

二是以两个服务为核心。坚持教育为社会主义现代化建设服务、为人民服务，深刻回答了为谁培养人这个重大问题。因此，遴选教学督导队伍也必须树立鲜明导向，坚持两个服务目标，做到社会主义现代化建设需要什么样的人才就培养什么样的人才，人民群众需要什么样的人才就培养什么样的人才，在督导过程中大兴调研之风，努力使人才培养供给侧同社会需求侧精准对接。

三是以业务水平为基础。教学督导专家队伍是一种学术性组织，因此就需要一定的学术性和专业性。作为教学督导专家，必须具有较高的教育理论水平，熟悉教育教学基本理论，在开展针对性指导时，能做到有的放矢；必须是教学领域的行家里手，师德高尚，教学经验丰富，教学能力突出，才能使教师信服；必须有一定的沟通协调能力，教学督导队伍作为院校教学管理部门和教师队伍的沟通桥梁，对下传达、解释上级教学政策，对上传递教师队伍意见建议，还要协调教学单位召开教学联系会，因此，沟通协调能力不可或缺。

四是以工作态度为重点。教学督导专家队伍作为一种专家型组织，缺乏有效的行政纪律约束和工作效果考核评价，其工作质量的高低，很大程度取决于教学督导专家的工作态度。因此，在组织专家遴选时，要将工作态度作为考察重点。教学督导专家要严格执行督导计划，按时完成督导任务，确保教学督导的覆盖率；要秉持公平公正的原则，不能让亲疏关系和个人好恶来影响评价的结果；要坚持督、导并重的原则，在做好督促、评价工作的前提下，注重发挥指导和传帮带的作用；要保持平易近人的工作作风，切不可摆专家架子，要成为教师的知心人。

## 二、建立标准的遴选体系

教学督导队伍在教学质量形成过程中有其他管理队伍不可替代的独特作用，其威信不是来自行政的权威，而是其自身的素质与工作能力。要以提升院校育人质量为根本目标，立足学历教育和任职教育教学督导的不同特点，按照立德树人的原则理念，把影响教学督导权威性、可靠性、有效性的督导人员的品德、素质和能力要素进一步细化解析为可评估的指标，建立全面、有效、可操作性强的教学督导队伍遴选体系，设置教学督导队伍职业资格准入条件，确保遴选的教学督导人员真正热心教学督导事业、个人品德高尚、政策理论水平较高、业务能力突出、教育管理理论素养高，能够胜任教学督导工作。

一是队伍结构合理化。教学督导队伍的结构应呈现多元化，既要有优秀退休教授，又要吸收教学一线经验丰富的教授、管理人员；既要有“知根知底”的校内人员，又要有精通专业(实践)的校外专家；既要有兼职的一线教师专家队伍，又要有专职的教学督导管理人员；既要有经验丰富的老专家、教授，又要有年轻的后备专家队伍。总之，教学督导队伍的构成应充分考虑知识结构、年龄结构、人员结构，时刻保持队伍的活力。

二是督导理念科学化。教学督导队伍要有正确的教育质量观，熟悉教育教学理论，深刻理解教学督导理论，能运用现代教学理论解决教学中的问题。在教学督导过程中，应该彻底解放思想，改变督导观念，树立“督导并举、以导为主、督导并重、以导先行”的教学督导工作理念，在“导”的方面多下功夫，更好地与教师、学生进行交流和沟通，变全员督导为全员参与的督导，以达到督导的最佳效果。

三是学科知识专业化。教学督导专家应熟悉并精通本学科的专业知识，专业理论扎实、学识渊博，具有丰富教学经验，是本学科的专家教授，能发现和解决教学问题，以自身的专业化促进教师的专业化。同时，在知识精深的基础上，还要做到知识面广，避免出现外行指导内行的现象。

四是沟通交流常态化。教学督导专家应善于总结概括，能够与教师、学生和职能部门保持良好的互动交流，使教学督导情况及时进入院校党委决策层面。督导专家应有充足的时间，来进行沟通交流，课堂督导后立即与教师沟通反馈，每月与教学管理部门反馈一线教学情况，每学期与教学单位沟通反馈该单位整体教学状态。

## 三、规范公正的遴选程序

规范教学督导队伍遴选程序是建立健全教学督导遴选机制的核心，是增强教学督导工作严肃性、提升教学督导队伍公信力的重要举措。

首先，要科学制订教学督导队伍遴选计划。遴选计划主要包括确定遴选名额、遴选对象的素质要求、来源渠道、遴选时机、遴选工作实施单位等要素。要从专业人才培养目标出发，坚持以面向社会、面向未来为导向的人才培养目标定位，按照教学层次和教学队伍现状特点，科学分析教学督导岗位需求，上报教学督导队伍遴选计划。

其次，要合理确定教学督导队伍遴选名额、周期和时机。学校主管单位要按照学科专业平衡、年龄结构合理、专兼职结合、学术型与管理型人才兼备、校内与校外通力合作的原则统筹规划，确定各类督导人员的名额；为了确保教学督导工作的连续性和一致性，同时便于长期研究和探索教学督导理论，要在保证督导队伍稳定性的基础上，依据教学督导工作特点，合理确定遴选周期和遴选时机。

再次，要公开发布教学督导队伍遴选信息。遴选工作开始后，要按照遴选计划，适时发布督导人员遴选信息，多渠道产生督导队伍候选人员，对照督导人员遴选标准，实施公开、民主选拔，实现教学督导人员遴选最大程度的公开和透明。对新聘督导人员，要进行上岗培训，内容主要包括评价方法，评价报告的撰写，与教师、学生及机关的沟通方法等，使其熟悉教育管理方法和督导方法，并通过多种手段评估培训效果。为了增强教学督导队伍遴选的严肃性，强化督导人员的责任意识，提升各教学职能部门对教学督导工作的重视程度，培训结束后由院校主管教学的领导为其颁发聘书。

最后，要建立教学督导队伍淘汰机制。为激励督导队伍始终保持高昂的工作激情，有必要建立竞争淘汰制度，对工作积极、提出良好的解决方案和建议、帮带成效明显的，在遴选时可纳入重点考虑对象；对工作不积极主动、帮带效果一般的，视情及时终止其督导资格，并遴选其他优秀同志进入教学督导队伍。

### 四、创新先进的遴选方法

针对当前学历教育与任职教育(培训教育)并存、学科专业多、培养层次多、教学环节多、涉及人员和机构多的特点，进一步改革教学督导队伍遴选观念、创新遴选方法，充分发动一切可以利用的力量，为转型把脉、掌舵。除了选拔退休、在职的专家教授及管理人员担任外，还可以采用外部选聘的方法，将校外专家教授和就业部门主管领导纳入督导队伍中，定期到院校听课，与校内督导人员和教师广泛交流，摸清院校育人现状和差距，使“督”有依据、“导”有方向，实现院校内外专家联合督导；还可以聘用校外教育管理专家作为督导人员，借以学习借鉴先进教育、教学理论和教学督导经验，开拓院校教学督导视野，提升督导理论水平。另外，在广泛开展学生评教的基础上，还可以研究建立毕业学生信息反馈机制，把对院校教育、教学情况有直观感受的毕业学生吸纳进督导队伍，及时了解具有一定工作经历的毕业学生对院校教学的意见与建议；随着院校教学改革的深化开展，校内研究生和任职教育学生规模增加，他们普遍具有一定的工作经验，对人才需求有一定了解，对院校教学有切身体会，民主参与院校管理的意愿增强，对此，适当遴选部分研究生和任职教育(短期培训)学生进入督导队伍，不仅可以为督导队伍注入活力，还可以增强督导工作的针对性，改变就教学谈教学，教学督导方向与实际脱节、与学生内心需求不符的盲目督导方式。

## 第二节　教学督导队伍管理机制

当前，高校教学督导工作在督导目的、督导内容、督导过程和督导沟通等方面存在着一些倾向性问题，制约了教学督导效能的发挥，也与教学督导队伍专业化发展不相适应。因此，需要加强教学督导队伍管理，从制度上进一步明确督导职能、区分督导主体、细化督导标准、增强督导活力、促进平等沟通，以提高教学督导的有效性。

## 一、明确督导职能，分清督导目标

首先，正确认识督导职能。教学督导主要有监督检查、分析评价和咨询指导三个职能。监督检查是对教师的教、学生的学和教学管理服务等方面进行检查、督促和控制，可及时发现教学过程中的问题，有警醒、纠错和促进作用，有利于教风、学风建设。分析评价是在检查的基础上对督导对象进行分析和评价，发现教学的成功之处和存在的问题，找出咨询指导的切入点和重点方向。咨询指导是在分析评价的基础上指导教学活动，对教师提出意见、建议，以提高教学水平；为领导、机关提供咨询服务，以提高教学管理水平。督导工作的各项职能是一个既相对独立又不可分割的统一体。在督导实践中必须正确认识各项职能作用，并要善于利用其联动关系促使其充分发挥作用。

其次，厘清"督"与"导"的关系。教学督导中监督、检查、评估等属于"督"的范畴，而建议、指导、共同研讨等属于"导"的范畴，"督"与"导"构成了教学督导目标的二元结构。二元子目标相较，"督"为低级目标，是"导"的基础，对督导人员的教学水平和专业技术要求不高，但对责任心和原则性要求较高；"导"为高级目标，是"督"的深化和延伸，对督导人员的教学和专业水平要求较高。教学督导是"督"与"导"的有机结合，有些情况下"督"的力度应该大，有些情况下应该以"导"为主，孰重孰轻、孰多孰少应视具体情况和需要而定。因此，教学管理部门在安排具体督导任务时，应厘清每次督导活动中"督"与"导"的关系，做到有所侧重。

最后，科学确定督导目的。教学督导应该是有计划、目的明确的活动。就现阶段而言，院校应紧紧围绕教学改革开展教学督导工作。一是要把教学改革的难点作为教学督导的重点。例如，为适应人才培养要求，院校加大了实践教学力度，督导工作应"及时把主要精力调整到案例教学和理论大课的改革上，通过跟踪听课指导，及时发现并推荐优质课程"。二是要对教学改革的薄弱环节加大督导关注力度。一些比较弱的课和个别不够成熟的新课，往往是影响教学质量提高的短板。督导工作应始终把这部分课程建设作为抽查的重点，指派专家跟堂听课、重点帮扶。三是要注意抓教学改革中的倾向性问题。例如，有些单位由于赶进度编写教材，存在内容粗糙、审定不严等现象，督导组应及时通过讲评、与相关单位沟通等方式加以解决。

## 二、区分督导主体，明确督导标准

首先，分清督导主体类型。教学督导队伍是教学督导的主体，教学督导主体可以由不同类型的教学督导成员构成。根据在职情况，可分为在职督导人员和非在职督导人员；根据专门程度，可分为专职督导人员和兼职督导人员；根据不同人员的作用，可分为巡视员、评价员和指导员；根据工作岗位，可分为管理者、专家和学生；根据督导层次，可分为院、系，大队，教研室及学生管理单位四个层次。院校教学管理机关应当分清教学督导主体的类型，提高教学督导工作安排的针对性，有利于教学督导主体更好地履行职责。

其次，明确督导主体的关注点。教学督导主体的关注点，是督导人员对督导客体的关注重点。由于不同类型督导人员特点的不同，为使其有效发挥其督导作用，必须明确不同职位、不同层次督导人员督导活动的关注点。例如，管理者着重关注教学的组织、实施、保障等相关管理问题；专家重点关注教学的内容、模式、方法、技术等相关专业问题；校级督导会从院校整体建设角度着眼，关注管理文化、管理制度，以及教学的模式、方法、标准等共性问题或重大问题；教研室督导则主要集中在对具体课程的内容、教学方法和教学组织实施等细节问题上抓落实。

最后，制定督导评价标准。在明确督导主体关注点的基础上，既要对督导客体划分不同评价标准，也应针对不同的督导主体类型制定相应的督导评价标准，使督导评价标准系列化、法规化。如果没有明确的评价标准，就会导致不同督导主体的关注点趋同，如都关注教师的课堂讲授而忽视其他。在评价标准体系中，不同的标准既要有共性，更要考虑其特殊性。对于在职的督导人员，应使其督导的关注点及评价标准与其岗位职责相对应。

## 三、实施多样督导，增强督导活力

首先，推门听课与预约听课相结合。推门听课与预约听课各有优缺点。推门听课具有随机性和突然性，可以真实地了解常态下的教学准备效果，更重要的是可以对授课者心理产生一定的压力，使任课教师增强危机感，自觉做好课前准备。但这一督导形式建立在人都存在惰性的假设基础上，是对多数教师不信任的心理反应，容易造成督导人员与被督导者对象间的心理对抗，使教师群体产生逆反和抵触情绪。预约听课能够使督导人员和被督导对象双方都有所准备，目的更明确，针对性更强。这种模式更容易发现教学改革中的难点问题，因为在充分准备基础上仍然暴露出的问题一定是教学重点和难点问题，也正是需要督导帮助解决的问题。然而，单纯采用预约听课会使部分未被预约的教师放松要求。因此，必须将推门听课与预约听课有机结合起来，以弥补彼此的不足。

其次，不同督导人员相结合。从总体而言，教学督导应该是全方位督导。全方位督导需要全能型督导人才队伍，但这又是不现实的。只有通过对不同类型督导人员的组合搭配，才能达到综合效果。就某一具体的督导活动而言，可以视其目的灵活选择人员组成督导小组：督导目的专一的，可以由单一类型人员组成；督导目的综合性强的，就应由多种类型人员组成；一般性督导，可以由一般人员组成；重点督导，就应由学术水平高、学术影响较权威的人员组成。

最后，多种督导活动相结合。督导人员到课堂听课是教学督导活动的主要形式。此外，督导活动还包括说课、示范课、教学竞赛、教学前检查、评比、考核等，应根据不同督导目的灵活选择督导形式。例如，为了把握某一重点课程课堂教学情况，院校领导与督导专家可通过视频集体听课，进行分析诊断；为了推广某一教学模式或方法，可以组织相关教师观摩示范课等。

## 四、促进平等沟通，加强咨询指导

首先，弱化督导的分级功能。如果强化教学督导的分级功能，过分强调分级结果，必然形成督导人员与被督导对象之间的沟通障碍：督导与被督导对象的关系失和，不能沟通；使被督导对象只看重分级结果，忽视沟通的作用；被督导对象自由探索和创新意识受到压抑，不愿沟通。因此，只有弱化分级功能，才能从根本上减少督导人员与被督导对象之间的沟通障碍，促进平等交流和共同研究探讨。只针对教学问题提意见、建议，不对教师教学进行分级评价；对教师授课进行定性评价而不是定量评价；评价结论不公开等。这些具体措施，可以不同程度地降低督导分级带来的负面效果。

其次，加强督导专家队伍建设。督导专家队伍建设是教学咨询指导的基础和关键，没有高水平的专家就不可能有正确的教学指导。加强督导专家队伍建设，要在人员选拔上注重德才兼备，要求具有良好的服务意识和专业素质；要加强对督导专家的培训，使他们掌握最新的办学方针、政策和法规，不断提高教学理论水平；要及时调换个别不能正常履行职责或发挥作用不够好的专家。

最后，灵活运用各种沟通方式。教学督导的咨询指导功能是通过督导人员与被督导对象之间的沟通实现的。为确保交流效果，督导人员除了要有真诚的态度和较强说服力的建议外，还要注意根据教师差异、教学过程差异等选好交流方式。沟通方式包括书面沟通和口头沟通、直接沟通和间接沟通、正式沟通和非正式沟通、即时沟通和事后沟通等多种。采用哪种方式或组合沟通更为有效，应视具体情况而定。一般情况下，听查课后督导人员与被督导对象立即进行当面沟通，交流讨论效果比较好。当督导人员在教学过程未完结的两节课之间离开教学现场时，一般不对此次教学进行太多即时点评。对某些性格内向的授课教师，可以采用“即时书面+事后口头”的沟通方式。对有一定资历的教师，应“避免公开或用书面的方式交流，使其意识到自身不足，积极主动地克服教学痼疾，实现自我超越”。对一些较严重的或具有普遍性的教学问题，必须采用正式沟通，甚至可以公开通报；对小问题或极个别现象，则可以通过非正式沟通来解决。

## 第三节　教学督导队伍考核机制

考核机制是指对照工作目标或绩效标准，采用一定的考评办法，评定员工的工作任务完成情况、员工的工作职责履行程度和员工的发展情况，并将上述评定结果反馈给员工的一种制度。教学督导队伍不同于一般的企业员工，其工作性质一般以兼职为主，任务完成情况不能简单评定，个人发展包含的内容多样，所以不能简单套用企业员工的标准，同样也不能以教师年度考评或任期考评的方式进行，需要建立特殊的考核机制。为加强考核的科学性，确保在不伤害教学督导人员积极性的前提下，可从考核目的、考核原则、考核内容等方面，构建较为系统、全面的考核机制。

## 一、考核目的

教学督导工作是院校教学质量保障体系的重要环节，特别是大部分院校教学督导工作还负责对教师授课质量进行评价。因此，教学督导的重要性不言而喻。相对而言，教学督导队伍履职尽责能力各不相同。一是教学督导队伍组成比较多样。教学督导组专家，既有专职督导专家，也有兼职督导专家，而且大部分院校以兼职督导专家为主。这些专家往往都是学科、专业和课程建设的领军人物，在教学建设中需投入大量时间和精力，这就造成督导队伍投入教学督导的时间和精力不够。二是督导队伍业务能力高低不一。基于督导队伍建设的长远考虑，督导专家遴选一般都会老中青结合，而大部分院校对督导队伍缺乏系统的培训，甚至连岗前培训也没有，很多年轻的督导专家在教学督导中，都是摸着石头过河，其业务能力提升往往只能从教学督导的实践中积累，前期也难免出现错误或者纰漏。这就造成老专家整体经验丰富、督导能力突出，年轻专家相对经验欠缺、督导能力偏弱的局面。三是督导专家的责任心有强有弱。责任心强的专家会通过查阅教学文件、课堂听课、课后座谈等方式，全面了解教师的教学情况，做出客观评价，并针对教师教学的薄弱环节，开展个性化指导，充分发挥“导”的作用。责任心弱的专家基于完成任务的心理，通过课堂听课的环节，简单评价教师的授课质量，而对其他环节不够重视，也没有对教师教学能力提供针对性的指导。这些都会影响教学督导和评价的效果。

因此，有必要对教学督导队伍的业务能力进行考核，评估其任务完成度、评价可信度、督导亲和度、指导发展性，从而达到进一步规范教学督导日常工作、提升督导质量效用、优化督导专家队伍等目的。

## 二、考核原则

依据教学督导工作的性质和基本要求，可从任务完成度、评价可信度、督导亲和度等方面，对教学督导队伍履职尽责情况进行考核。

### (一)任务完成度

一般而言，院校教学督导的主要职责包括：对教学工作各环节进行经常性监督、检查、评估和指导，及时发现问题，研究提出改进建议。教学督导涵盖院校教学的各个方面：概括来说，就是对院校的“教”“学”“管”“保”等方面开展检查和指导；具体来说，就是督教与导教、督学与导学、督管与导管、督保与导保。当前，大部分院校教学督导的职责都聚焦在对课堂教学中教师的“教”和学生的“学”上，并且教是重点。

要全面考核督导任务完成情况，应将重点放在对“教”“学”的督导上，兼顾对院校教学管理和教学保障的检查指导。督教与导教，通过随堂听查课、课后交流、随机检查教学文件、参加教学业务活动等形式，对教师教学能力进行评估和帮扶，对教学单位研教、议教情况进行检查和指导，对教师开展教学改革进行引导和帮助，对优良教学传统进行传承和示范。督学与导学，通过召开教师及学生座谈会、检查学生自习(实习)、问卷调查、个别交流等形式，对学风情况进行检查，对学生学习方法进行指导，对学生学习能力和效果进行评估。每学期初，教学督导工作管理部门应明确督导组“教”“学”的督导任务。每学期末，对督导任务完成情况进行评价。而督导任务的完成度，应作为考核督导能力的主要内容。

### (二)评价可信度

当前，对大多数高等院校而言，教学督导跟授课质量评估是同时进行的，督导专家在“督”的同时，完成对教师授课质量的评估。而教师授课质量评估，事关教师的切身利益。因此，教学督导专家对课堂教学质量评价的可信度，也是考核督导队伍能力的重要因素。

要对督导结果开展可信度评估，确保督导的公正性、准确性。这就需要教学督导管理部门在督导组织过程中，严格把控相关环节，如对同一教师的督导安排多名同行专家，并采取回避原则等。在获得评价结果后，为评价一名督导专家的可信度，就需要将该专家的评价结果，与同行评价、学生评价及其他督导专家的评价结果进行对比分析。如果出现较大差距，就需要考虑该督导专家评价结果的可信度。原则上，评价结果的差异在5分以内为正常数据，5~10分为异常数据需要复核，10分以上则评价结果不在一个等级，其评价可信度就不高。教学督导管理部门需要分析，出现这种问题是督导专家在专业知识方面的欠缺，还是代入过多的主观印象，抑或是督导业务能力欠缺。

#### （三）督导亲和度

以往的教学督导，“督”大于“导”，而且督导兼有评估教师课堂教学授课质量的功能，因此，往往造成教学督导专家和教师的对立。随着高等院校教学督导的深入，教学督导理念发生根本变化，以“导”为主的发展性教学督导理念更加深入人心。为提升督导的质量效益，教学督导专家应该改变以往的督导方式，放下专家身段，不再是对教师教学指手画脚，而是以朋辈咨询的方式，与教师共同探讨教学中的疑难困惑，为教师改进教学提供咨询和指导。在这样的背景下，教学督导专家队伍的亲和度将影响教学督导专家和教师的沟通效果。

为此，可通过被督导教师的督导反馈，来评价教学督导人员的亲和度。主要考察两个方面：一是被指导教师的数量，通常亲和度高的督导专家更受教师欢迎，主动接受指导的人数也会增加；二是被指导教师的效果反馈，如督导专家的指导是否尽心尽力、态度是否和蔼可亲、效果是否让人满意等。

### 三、考核内容

基于以上的考核原则，对照教学督导工作内涵，对教学督导队伍业务能力的考核，可设置以下考核内容。

#### （一）工作完成情况

从对“教”“学”“管”“保”等方面开展检查和指导的完成情况进行衡量。根据学期初制订的教学督导计划，考察督导专家任务完成情况。对工作完成情况，需要考察两个方面：一是工作数量，即安排的督导任务完成度，它直接决定了教师被督导评价的样本量，也影响到一个院校教学督导的总体覆盖率；二是工作质量，即督导任务完成的效果，最重要的因素就是前文提到的评价可信度，只有评价可信度高的督导数据，才能客观真实地反映教学情况。综合以上两个因素，可以确定工作完成情况，并且工作完成情况考核应该作为业务能力考核的基本内容，成为考核结果的重要组成部分。

#### （二）指导帮带情况

指导帮带工作，是发展性教学督导理念下，创新开展教学督导工作的重点。一般来说，可从指导教师“教”和指导学生“学”两个方面进行考核。对教师“教”的指导，可从课后交流、参加备课试讲、指导教学竞赛、开展教学改革引导等方面进行考核，主要考察指导的数量和被指导对象的效果反馈。对学生“学”的指导，主要从与学生开展座谈、个别交流、问卷调查等方面进行考核，注重对学生学习方法的指导和对学习风气的养成。此外，还可考察对院校教学管理和保障方面的指导性意见和建议。对指导帮带情况的考核，主要是考察教学督导专家的督导亲和度，可作为考核结果的组成部分。

### (三)创新工作情况

创新工作，一般指教学督导专家推进教学改革的情况。一方面，是指督导专家跟踪了解院校教育教学改革举措的落实情况，给出评价和相应的指导性意见，以及宣传倡导教师利用现代教育理念，促进教学模式改革创新，指导教员深化教学改革，提升教学质量。另一方面，是指督导专家围绕教育教学理论创新和教学热点难点问题，开展教学研究，形成一定的研究成果，在此基础上组织专题辅导讲座，推动院校教育教学改革不断深化。对这方面的考察，可从教学督导专家参与院校重大教育教学改革活动情况、主持参与教学研究课题情况、开展辅导讲座情况等方面考虑，是考核结果的有效参考。

## 第四节　教学督导队伍激励机制

激励机制是指通过特定的方法与管理体系，将员工对组织及工作的承诺最大化的过程。激励机制是在组织系统中，激励主体系统运用多种激励手段并使之规范化和相对固定化，而与激励客体相互作用、相互制约的结构、方式、关系及演变规律的总和。教学督导队伍激励机制，是指院校教学管理部门，通过建立相应的制度，来提升教学督导专家的工作积极性，从而达到提升院校教学督导质量效益的目的。

根据管理学理论，结合院校教学督导制度建设，可从精神激励、物质激励、荣誉激励、工作激励等方面，开展教学督导队伍激励机制建设。

## 一、激励机制的内涵

根据“激励”的定义，激励机制可以包含以下几个方面的内容。

### （一）诱导因素集合

诱导因素就是用于调动员工积极性的各种薪酬资源。对诱导因素的提取，必须建立在对员工个人需要进行调查、分析、预测的基础上，然后根据组织所拥有的薪酬资源的情况设计各种奖励形式，包括各种外在性奖励和内在性奖励。

### （二）行为导向制度

行为导向制度是组织对其员工所期望的努力方向、行为方式和应遵循的价值观的规定。在组织中，由诱导因素诱发的个体行为可能会朝向各个方向，即不一定都是指向组织目标的。同时，个人的价值观也不一定与组织的价值观相一致，这就需要组织在员工中间培养统驭性的主导价值观。行为导向一般强调全局观念、长远观念和集体观念，这些观念都是为实现组织的各种目标服务的。

### （三）行为诱导幅度

行为诱导幅度是指对由诱导因素所激发的行为在强度方面的控制规则。根据弗鲁姆的期望理论公式（$M=V\times E$），对个人行为幅度的控制是通过改变一定的奖励与一定的绩效之间的关联性及奖励本身的价值来实现的。通过行为幅度制度，可以将个人的努力水平调整在一定范围之内，以防止一定奖励对员工的激励效率的快速下降。

### （四）行为时空制度

行为时空制度是指奖励制度在时间和空间方面的规定。这方面的规定包括特定的外在性奖励和特定的绩效相关联的时间限制，员工与一定的工作相结合的时间限制，以及有效行为的空间范围。这样的规定，可以防止员工的短期行为和地理无限性，从而使所期望的行为具有一定的持续性，并在一定的时期和空间范围内发生。

### （五）行为规划制度

行为规划制度是指对成员进行组织同化和对违反行为规范或达不到要求的成员的处罚和教育。组织同化是指把新成员带入组织的一个系统的过程。它包括对新成员在人生观、价值观、工作态度、合乎规范的行为方式、工作关系、特定的工作技能等方面的教育，使他们成为符合组织风格和习惯的成员，从而具有一个合格的成员身份。关于各种处罚制度，要在事前向成员交代清楚，即对他们进行负强化。所以，组织同化实质上是组织成员不断学习的过程，对组织具有十分重要的意义。

以上五个方面的制度和规定都是激励机制的构成因素，其中，诱导因素起到发动行为的作用，后四者起导向、规范和制约行为的作用。一个健全的激励机制，应是完整的包括以上五个方面的制度，只有这样，才能进入良性的运行状态。

## 二、激励机制的构建

结合以上激励机制的内涵，在实际教学督导管理工作中，可从以下几个方面构建教学督导激励机制。

### （一）精神激励

精神激励，也称内在激励，是指精神方面的无形激励，是管理者用思想教育的手段倡导企业精神，是调动员工积极性、主动性和创造性的有效方式。高等院校教学管理部门在实施精神激励时，一是要充分肯定教学督导工作和教学督导专家队伍的重要性，高度认可教学督导专家在督导工作中的辛勤付出；二是要给予督导专家关心，努力营造一种轻松、愉悦、融洽的工作氛围；三是要以奖为主，奖惩结合，表扬和肯定责任心强、工作付出多的督导专家，对督导工作中的不良现象要予以否定批评。

### （二）薪酬激励

薪酬是指劳动者依靠劳动所获得的所有劳动报酬的总和。薪酬激励是指通过科学合理的薪酬待遇，有效提高劳动者工作积极性的激励方式。高等院校的教学督导专家，其工作性质有专职和兼职两种，薪酬激励的重要性不一样。对于专职的专家来说，教学督导薪酬就是其主要薪酬；对于兼职的督导专家来说，教学督导薪酬只是其薪酬的一部分，重要性相对偏低。因此，在设置薪酬待遇时，对这两类专家要区分开来。专职专家，宜采用“基本薪酬+奖励薪酬”的方式，通过基本薪酬来设置基本工作量，而奖励薪酬对应其超额工作量和督导工作完成质量；兼职专家，宜采用“按量计酬”的方式，通过教学督导的工作量来发放督导薪酬。重要的是，要科学设置基数标准，既能体现教学督导专家的工作价值，又不能引起其他教育教学工作者的不满。

### （三）荣誉激励

荣誉激励是把工作成绩与晋级、提升、评先等联系起来，主要的方式方法有表扬、奖励、经验推广等。荣誉既可以成为荣誉获得者保持和发扬成绩、不断进步的力量，也能对其他人产生感召力，激发比、学、赶、超的动力，从而产生比较好的激励效果。对教学督导来说，可从以下三个方面开展荣誉激励：一是制定教学督导专家考评办法，为考评结果为优秀的教学督导专家颁发证书；二是对考评为优秀的教学督导专家，在职称评审、评先奖励等方面优先考虑；三是开展优秀教学督导专家的经验交流活动，营造比、学、赶、超的良好氛围。

### （四）工作激励

工作激励是指激发工作人员的责任感、主动性和工作热情，其指导思想是使工作人员有获得成就的机会、晋升的机会、组织认同感及责任感。为发挥好工作激励的作用，在构建教学督导激励机制时，应考虑到以下方面：一是在督导任务分工时，应考虑督导专家学科专业领域特长，尽可能做到同行评价；二是在完成基本教学督导工作的前提下，要设置具有挑战性的督导工作，如开展教育教学热点问题研究等，使教学督导专家有所收获；三是要发挥好专家治学的作用，让教学督导专家参与院校重大教育教学工作研究、教学工作会议等；四是要提供学习交流的平台，积极安排教学督导专家参与各类专家组织、学术会议、校际交流，拓展专家视野，不断提升专家督导能力。

## 三、激励机制的运行

激励机制构建形成后，将内在的作用于组织系统本身，使组织机能处于一定的状态，并进一步影响组织的生存和发展。

### （一）激励机制的作用

激励机制的运行，对组织有两种作用，即助长作用和致弱作用。

1. 助长作用

激励机制的助长作用是构建的激励机制对员工的某种符合组织期望的行为具有反复强化、不断增强的作用。在这种激励机制的助长作用下，组织会不断发展壮大，不断成长进步。在教学督导管理中，运行良好的激励机制，能使教学督导专家队伍获得工作愉悦感，体会到工作的价值和作用，不断激发督导专家的责任心和使命感，从而不断提升教学督导工作的质量，产生好的督导效益。

2. 致弱作用

激励机制的致弱作用是指激励机制中存在去激励因素，组织对员工所期望的行为并没有表现出来。尽管激励机制设计者的初衷是希望通过激励机制的运行有效调动员工的积极性、实现组织的目标，但无论是激励机制本身不健全，还是激励机制不具有可行性，都会对一部分员工的积极性起抑制作用和削弱作用。在教学督导管理中，如果教学管理部门在制定激励机制时，不能构建合理的评价考核方式，不能奖励先进、批评不良现象，无疑会削弱激励机制的助长作用，打击大部分督导专家的积极性，最终影响整体督导工作的质量。

### （二）激励机制的运行模式

激励机制的运行过程就是激励主体与激励客体之间互动的过程。教学管理部门要发挥好激励机制的助长作用，就需要优化激励机制的运行模式。

1. 建立沟通交流机制

教学管理部门要建立教学督导专家与教学管理人员的沟通交流机制，使教学管理人员能够充分了解教学督导专家的个人需求、督导计划、督导能力素质等，同时能及时向教学督导专家传递院校教育教学的目标、教学督导工作的运行方式、督导评价考核的标准及激励措施；教学督导专家需要把自己的学科专业领域特长、个人需求、个人的工作情况及时反映出来，以确保督导工作顺利开展。

2. 各自选择行为

通过沟通交流，教学管理人员能够根据教学督导专家的特长、能力素质和工作意愿，为专家安排恰当的督导任务，特别是能够设置督导专家组长，协调督导组内部运行，提出适当的督导任务目标和评价考核办法，并且在此基础上开展督导工作考核；教学督导专家受领任务后，则采取积极的工作态度、适当的督导方式开展工作，力争圆满完成教学督导任务。

3. 开展阶段性评价

教学管理部门要适时开展阶段性评价，对教学督导专家开展督导工作的阶段性成果和工作进展及时进行评判，以便总结好的经验做法、纠正工作中的疏漏和问题，从而使教学管理部门和督导专家能够及时做出适应性调整。原则上，可结合教学督导运行方式，通过督导月报、季度督导专家会、学期督导总结等方式进行评价。

4. 年度评价与激励

年度结束后，教学管理部门应该对教学督导专家的工作进行年度考核评价。结合考核内容，考察教学督导专家任务完成度、评价可信度、督导亲和度等内容，给出年度考核评价结论。在此基础上，为教学督导专家发放督导奖金。同时，对年度考核评价结果为优秀的要给予表彰奖励，对考核评价结果较差的适当进行调整，保持教学督导队伍的活力。

# 第五章　教学督导队伍专业化发展机构与环境建设

教育、科技、人才是全面建设社会主义现代化国家的基础性、战略性支撑。院校教育是人才培养的主渠道，具有基础性、先导性、全局性作用。教学督导队伍专业化发展是贯彻科教兴国战略的具体落脚点之一，保证教学督导队伍专业化发展的机构与环境建设是此项工作的重要着力点之一。阿什比在《科技发达时代的大学教育》中说：“任何类型的大学都是遗传与环境的产物。”对教学督导队伍专业化发展机构与环境关系的研究可以看出，教学督导的组织形态是随着教学督导外部环境需求逻辑和教学督导内部机构组织逻辑不断变化的。教学督导的生存和发展所面临的环境一直在变，因此，教学督导队伍专业化机构与环境的变革也成为重要课题。

近年来，在全球范围教育转型的大背景下，高等院校逐步推进教育创新、优化教育结构、完善管理机制，在培养专业人才的知识基础和创新能力、提高综合素质等方面进行了一系列改革。教学督导队伍专业化发展在这一改革过程中，有着积极的催化作用，但是原有的教学督导组织机构与环境建设在一定程度上滞后于专业化发展改革的需要，存在一定的问题，没有相应的改革或进步，已不适应新时代加快建设高质量教育体系的要求，甚至制约了教育教学的发展。因此，应当研究并构建适应教学督导队伍专业发展的机构与环境，促进督导队伍专业化发展，支撑教学督导质量的提升，从而促进教学质量的提升，以达到人才培养质量的提升。

# 第一节　教学督导队伍专业化发展机构与环境建设现状

毛泽东同志指出，办好学校一靠校长、二靠教员。习近平总书记强调："好的学校特色各不相同，但有一个共同特点，都有一支优秀教师队伍。"师资水平直接决定人才培养质量。教学督导队伍专业化发展则是建设教师队伍的保障措施，教学督导队伍专业化发展需要专业机构与环境创设支撑。要促进教学督导人员的专业化，除了需要自身主动的学习和努力外，良好外部环境的创设也是专业发展成长必不可少的条件。如何为督导人员提供良好的任职前教育和在职培训、建立专业组织、制定专业规范等都需要进一步思考。他山之石可以攻玉，国内外大学在督导队伍专业化发展的机构与环境建设上的一些探索有积极的借鉴意义。

## 一、国外高校教学督导队伍专业化发展机构与环境建设现状

西方不少国家都非常重视督导的作用，高等院校结合具体需求，其督导组织是一个专门的机构，独立于校方，隶属于政府，任职人员的选拔往往同工作所要求的年龄、教学经验、人生履历密切相关，任职者的素质高、专业水准高。为了实现开放公开的督导工作，往往还会从社会各界聘请专门人才参与其中。在执行过程中，则将日常化的巡查和不定期抽查结合起来，发现问题并落实改革，切实提升执行力度。国外的教育督导与我国基础教育督导一样，督导机构设在校外，由教育行政管理部门行使自上而下的监督职能。

英国的教育督导分为中央与地方两级，教育督导机构包括皇家督学团和地方督导机构两类，虽然有一定的上下级业务联系，但却并不是从属关系，二者更多的是合作关系。所以，英国的教育督导工作有别于教育行政部门的其他工作，其性质在很大程度上是专业性的。虽然英国建立教育督导制度的直接动因是国家需要承担管理教育的责任，但由于其学校教育的自主性传统，所以逐渐淡化直接的权力，依靠其科学性、公正性和高效率对学校教育发展产生巨大影响力。皇家督学团是中央政府一级督导机构，设在教育和科学部，

根据中央政府的政策进行工作，向教育大臣负责。其基本职能是向国务大臣报告除大学之外的学校教育情况，向教育和科学部提供专业性的建议。督学提交的报告，任何人包括教育大臣都不能更改。

美国的教育督导以地方为主，主要由州、学区承担。美国联邦一级教育机构不掌握教育的实权，而是通过提供一些教育项目的经费对教育施加影响。州教育厅一般设初等教育、中等教育、职业教育、高等教育等部门，负责各学区的辅导工作。地方一级教育辅导则由学区负责，学监是学区的行政、业务负责人，对学区的教育辅导工作负主要责任，学监下设若干专职辅导人员，负责本学区的日常性工作。与我国相比，美国教育督导工作的主体已扩展到了学校内部。

法国有悠久的历史和丰厚的文化底蕴，它的高等教育不仅源远流长，而且有许多独到之处。与其他西方国家相比，法国带有“中央集权”式的高等教育管理模式，与我国有些相似，20世纪下半叶是法国高等教育的大发展时期，走完了自精英教育到大众化教育的过程。教育督导是教育行政管理体系的重要组成部分，它既是国家对教育的监督系统，又是联系教育各部门的纽带和桥梁，在教育事业发展中发挥着重要作用。为了有效贯彻教育方针、政策和法规，提高高等教育质量，法国建立了教育督导制度。20世纪50年代以来，法国教育督导制度在不断接受法国教育改革挑战的同时，朝着多元化和专业化的方向发展。1964年，法国设置了地区教育督学，是在大学区管理层次上出现的新的督导机构。它们与大学区督学一起，协助大学区总长对大学区范围内的教师进行督察评估。1965年，法国设立了国家公共教育总督学，将原来分散的国民教育部内各部门的行政总督学统一在一个新的督导机构里。根据章程规定，其职责是从宏观上监督国民教育系统的行政、财务、资金、经济等各项工作。他们虽然不必深入课堂听课，但有权过问与教育环境有关的所有问题。此外，国家公共教育总督学还负有从行政和经济的角度对公立大学进行监督的职责。20世纪七八十年代，法国对教育督导制度进行了改革和调整，如1980年法国公共教育总督学正式改名为国家教育总督学，并按专业组织督学工作小组。从1984年开始，国家教育总督学加强了对高等教育的宏观调研，同时总督学试行面向社会招聘。1986年，法国实行教育管理体制改革后，地区教育督学开始在教师评估和管理中发挥主要作用，法国总督学则转向宏观评估和调研。国家教育督导制的实施对提高高等教育质量发挥了重要作用。法国主要分中央、地区和省三级教育督导机构。中央一级的教育督导机构设在教育部的总督导处，下设国民教育总督导处、国民教育行政总督导处、图书馆总督导处、青年与体育总督导处。地区一级的教育督导机构为设在大学区总长公署内的大学区督学处。省一级的教育督导机构是设在各省教育厅的督学处。总督导处协助教育部长督导全国的教育工作，大学区督学处负责督导中学教育工作，省督学处负责督导小学教育工作。

日本设置了从中央到地方的两类三级机构。两类是指文部省的视学官和地方教委的指导主事。三级是指文部省、都道府县、市镇村的督导机构。文部省一级设有视学官，主要就全国的中小学教育和高等教育进行协调和指导。都道府县一级设有指导主事，主要负责当地中小学教育的视导工作。市镇村一级也设指导主事，负责该地中小学教育的视导工作。各级教育督导机构之间并没有纵向隶属关系，各自独立工作。

除了上述提及的专业化教育督导机构，在高校内部作为教学督导功能的另外一个重要机构——教师发展中心也在国外兴起并发展。1962 年，美国密歇根大学建立的“学习与教学研究中心”是世界上最早成立的大学教师教学发展机构，该中心对美国高等学校教师发展，乃至世界高等学校教师发展都起到了引领、榜样的作用。美国高校教师发展机构的设立长达 50 多年之久，不论从教师发展中心的规模还是数量上，都是世界教师发展机构的典范。美国一流大学教师发展中心在应对美国高等教育质量问题、提高教师教学质量和学生学习效果方面起到了不容小觑的作用。直到 20 世纪 70 年代早期，本科教学质量被提上日程，越来越多的美国大学建立了教学中心等机构。随后，欧洲各国、日本、澳大利亚等都成立了类似的机构。高校督导工作，尤其是机构设置可以借鉴美国一流大学教师发展中心的先进理念和丰富经验，吸收其精华，用于我国高校教学督导队伍专业化的建设和发展。

## 二、国内高校教学督导队伍专业化发展机构与环境建设现状

一般而言，督导工作的开展需要遵循国家基本的教育法律法规，借助科学的原则、方式方法，对教学过程进行监督、管理、评价，从而提出改进意见，最终达到提升教学效率的目的。

## (一)国内高校教学督导环境现状

20世纪90年代，中国教育督导制度的建立，成为我国高等教育不断发展的直接体现。《中华人民共和国教育法》有关教育基本制度的章节中，第二十五条规定："国家实行教育督导制度和学校及其他教育机构教育评估制度。"要充分认识到，该制度尽管只是对日常的教学实施进行监督、引导，但制度本身的精神内涵、理论意义、具体的操作模式等，对中国高校的发展也产生了重要的影响，所以，中国的教育督导制度同样被认为是有利于教学、教育管理实现可持续健康发展的重要保障。教育部在1999年印发的《关于加强教育督导与评估工作的意见》，在2001年印发的《关于加强高等学校本科教学工作提高教学质量的若干意见》，均提出"加强教学工作""充分认识教学在高校发展中的地位""建立起适应高校发展的相关监督体制"等建议后，北京大学等高校纷纷开始创建督导制，希望通过调研、提供咨询服务、加强课堂指导等方式来提升教学效率。21世纪以来，中国的高等教育发展迈入新时期，年长教师退休、高校扩招同时出现，新建或院校扩建等形式对师资力量的需求是巨大的。在特殊的时代背景下，很多高校开始大量吸纳人才，特别是青年优秀骨干进入学校，这些青年老师在第一时间便投入到教学工作中，但资历较浅、经验不足，使他们在教学过程中暴露出的不足与日俱增，也直接导致不少高校的教学质量下降。一些高校教师的工作内容却是以科研为主，造成了教师轻视教学工作的情况。这些背景直接凸显了高校督导工作的巨大意义。2000—2009年，中国高等院校发展迅速，同时教育督导制度也得以健全，开展监督的方式更加丰富，如旁听、课堂调查、专项督查、教师评价、课堂评价等十分常见。从具体的职能划分来看，这些工作不仅面向本科生，也面向研究生，甚至有些学校还在各个学院内建立起督导制度。综上所述，当前高校督导的方式比较广泛，如监督、评价、指导等，这些手段实施的目的都是要加强教学质量，并推动教师队伍的建设和为学生服务。从这个角度来讲，中国的教育督导制度与西方的并无二处。随着教育部《关于全面提高高等教育质量的若干意见》的出台，我国高等教育步入由以规模扩大的外延式发展向提高质量的内涵式发展转变的新阶段。

党的二十大报告强调："教育是国之大计、党之大计。"《国家中长期教育改革和发展规划纲要(2010—2020年)》第七章对高等教育提出了更高的要求：全面提高高等教育质量，提高人才培养质量，提升科学研究水平，增强社会服务能力，优化结构办出特色。在这一背景下，高等院校的人才培养质量，特别是本科教育质量的提高成为高校赖以生存的基础，因而教育质量保障体系的研究和建立比以往任何时候都更加重要。在该体系中，教学督导是一种行之有效的手段。从目前高校教学督导工作面临的形势来看，我国高等教育早已进入大众化教育阶段。从学生方面来看，与精英教育阶段相比，生源的平均质量明显下滑，所以教师抱怨现在的学生不好教、不好管。从教师方面来看，教师与学生数量比例的失衡，以及职称晋升等压力，使得教师在教学上精力投入严重不足，特别是一些高校为了应对评估突击引进不少高学历青年教师，他们多数没有经过助教阶段的培养就独立承担教学任务，经验的缺乏使教学质量难以保证。从教学资源方面来看，高等院校软硬件条件的改善跟不上学生数量的增加，尤其不能满足学生实践能力培养的需要。从社会需求方面来看，企事业单位应用型、复合型人才极为缺乏，往往是拿着高薪找不到人才，而同时学生的就业压力也很大，学不能致用。为此，《关于全面提高高等教育质量的若干意见》提出了完善人才培养质量标准体系，“全面实施素质教育，把促进人的全面发展和适应社会需要作为衡量人才培养水平的根本标准”，创新人才培养模式，“以提高实践能力为重点”，“巩固本科教学基础地位”，完善国家、地方、高校三级本科教学工程体系。因此，面对新的形势，高校教学督导任务日益加重，教学督导观念正在不断更新。高校的教学督导应随时了解高等教育改革发展动态，熟悉督导环境，更新督导观念，以便适应新形势、新要求，提高督导工作质量。

第一，从精英教育向大众教育的观念转变。教学督导要注意引导教师适应大众教育的高等教育环境，树立素质教育中德育为先、能力为重、全面发展的育人观念。教师不能再按照精英教育时期(教师自己的大学阶段)的标准来看待现在的学生，对大众教育的特征要有足够的认识。第二，从督导外延式教学向督导内涵式教学转变。教师要适应高等教育从外延式发展向内涵式发展的转变。在督导中，从重理论督导转变为理论、实践督导并重。因此，督导人员的工作不仅是听课、检查试卷和论文，还应对学生实验、课程设计、实习实训进行有针对性的检查。一是看学校教学部门是否认真落实了这些实践环节的教学计划，二是看教师是否按要求进行了负责任的指导，三是要对学生的实践效果进行评价。第三，从督导传统教学向督导信息化教学转变。高等教育教学的信息化、现代化手段发展迅速，教学督导必须适应现代教学方式和手段，熟悉多媒体教学和网络教学平台，能够对多媒体课件质量和教学效果进行评价，减少将板书或教材搬上屏幕的做法。应该认识到不是所有课程都适合用多媒体教学，也不是所有沟通都可以通过网络来进行。此项转变在当前在线教学大规模展开的背景下显得格外重要。督导包含监督和指导两方面的含义，督导人员有责任指导教师正确把握课程的性质和特点，恰当运用现代教学手段，灵活掌握与学生沟通互动的方式，使教学效果达到最佳。

### (二)国内高校教学督导机构现状

国内高校的督导机构设置常见的有两种方式，即职能处室和咨询机构。前一种方式在高等院校中担负着行政职能，并且受制于校方管理高层，同学校的教务处的地位相当，两者相互配合，这一形式下的督导工作开展往往更加高效，同时具有权威性，反映的问题落实起来也更加高效。后一种方式则是中国高校较为普遍采用的一种模式，其角色是咨询、服务性质，没有行政管理权限，接受教务处的管理，当问题出现时，采取的工作方式主要是召开座谈会，督导人员往往将督导工作作为附属工作，同时督导人员的地位同校方教学委员相似，日常的工作就是作为教务处的辅助，开展日常化的教学监督，这一形式因为受制于教务处，所以工作效率低、权威性不高。

前文已经提到，在高等教育大众化时期，高校纷纷开展教学质量保障运动，高校教学质量保障价值观开始从“外部监控”向“内部支持促进”转变。正是新的高校教学质量保障价值观促进了学校内部的组织变革，催生了教师教学发展的内部保障机构——教师发展中心。现阶段，仅美国教师发展中心的数量就达到了1 000个之多。在这种专业化组织机构的支持下，美国高校教师的教学质量得到了改善。在高校教师教学促进工作方面，美国的教师发展中心已经探索出了成功之道。

在地方教师群体教学督导机构的设置中，会有不同的形式。有的地方教师群体是在群体内部设立教学督导办公室，属于副科级；有的地方学校教学督导机构在形式上单独挂牌，而不是作为内部机构存在。一些设置在教师群体内部的教学督导室属于教师群体的内部机构，在级别上是副科级待遇，没有独立的财权、人事管理权与物权，需要通过党政办公室履行自己的职责；一些教学督导机构虽然是单独挂牌，但其组成人员仍受制于学校，由教育部门办公室的副主任，或者是教育部门秘书直接负责，因此，大大强化了教学督导机构与党政机关的密切关系，其独立性的缺失也会影响教学督导的效果。此外，缺乏独立性的教学督导机构都难以实现教学督导工作中相关奖惩措施的实施。这些问题成为国内高校教学督导机构运行中存在的矛盾。

### (三)国内高校教学督导机构矛盾分析

教学督导是目前我国高校普遍采用的一种教学质量监督手段，在提高教学质量方面发挥了积极作用。然而，当前我国高校教学督导实施状况并不乐观，在实施的过程中还存在一些问题。例如，高校教学督导的管理制度和管理体制尚不完善，教学督导内容和方式比较单一，督导人员队伍专业化程度不高，教学督导的效果不尽如人意等。通过调查研究，发现问题、分析问题、解决问题，落脚点应放在完善高校教学督导的管理制度、充实教学督导内容和方式、建立一支科学合理的教学督导人员队伍、力争使教学督导取得良好的效果等方面，提出解决问题的对策和意见建议，以期提升高校教学督导工作的价值，使其在高校教学中发挥出应有的作用，同时也为后续研究提供了一些思考路径。目前，我国教育督导制度中督导机构定位不明确、督导机构设置不统一、督导政策体系不完善、督导队伍结构不合理等问题逐渐凸显，制约着教学督导职能的发挥。

教学督导机构职能不明确。在地方教师群体中，教学督导机构的职能依然处于模糊的状态。一般而言，地方教师群体中的教学督导机构设立在政府、教育部门、组织人事部门中，不同的教学督导机构的工作重点是不同的。政府中的教学督导机构的工作重点是职业教育政策执行情况，教育部门中的教学督导机构的工作重点是其出台教育政策的执行情况，组织人事部门中的教学督导机构的工作重点是对受其管辖的岗位人员与部门进行教学督导。需要指出的是，在一个区域内，不同部门的教育政策不具有孤立性与分离化，而是具有极强的内部联系，如政府的决策与教育部门的决策往往是一致的，因此在教学督导的过程中，如果将教学督导资源分散投入到重复的教育政策教学督导中，就会产生资源浪费的问题。

教学督导机构角色定位尴尬。前文已经就教学督导机构的设置进行分析，地方的教学督导机构对外往往是以教学督导室的形式存在，级别属于科局级，角色定位不高，使其在履行教学督导职责时出现“以小管大”的问题，过低的级别使其缺乏权威性与说服力。因此，对教学督导机构进行准确定位，使之摆脱角色尴尬，设置相对独立的教学督导机构显得尤为重要。我国大多数高校的教学督导机构并不是独立的部门，基本上都是挂靠在教学管理职能部门(如教务处)，依据教务处的工作安排开展督导活动，形成了“自己监督自己”的现象，有失公正性与权威性，其监控力度与监控效果不可避免地受到限制。设立相对独立的教学督导机构，使其在学校的直接领导下，与教学管理职能部门密切联系而又独立于外，专门负责教学监督、指导、评估及咨询。这是一种相对独立的高校教学督导制度，在比较客观、公正的立场上，协助教学管理职能部门对教学质量进行监督指导，严格教学过程管理，保证正常教学秩序，促进教风学风建设，从而保证教学质量的稳定和提高。此外，按照“检查督促，总结经验，发现问题，指导改正”的思路，依据一定的评价标准，协助教学管理职能部门对教学工作的绩效进行调查研究、质量分析、检查监督，并在其基础上对教学工作进行监督与指导，从根本上提高教学质量，推动教学改革的不断深化。所以，设置独立于教学管理职能部门的教学督导机构，有利于确保教学督导制度的公正性与权威性，有利于把教学督导制度更好地落到实处，有利于高校教学管理改革的深化。

## 三、高校教学督导队伍专业化发展机构与环境建设的关键

在高等院校中，教师队伍的教学能力是决定教育服务质量的关键，也是决定教学质量的主要因素。目前，提升高等教育质量已经成为我国高等教育改革发展最核心、最紧迫的任务。内涵式发展的核心是提高质量，高校要聚焦教育目标的要求，遵循高等教育和人才成长规律，大力推进教学体系、科研体系、人才体系、治理体系和保障体系创新，全面提高教学质量、科研质量和服务质量，不断增强高校的核心竞争力。教学督导工作对促进高校教学质量提升发挥了重要作用。但从当前高校教学督导工作开展的情况看，还存在职能定位不清晰、重督轻导、重督教轻督学督管的现象。教学督导工作不

应该仅表现为“教学监工”，其主要职能应该是检查督促教学活动的有序开展，指导教学活动的有效实施，掌握教学活动的开展情况，收集教学活动的相关数据，为进行准确的教学评估做铺垫。当前实施的教学督导主要是针对课堂教学进行的抽样督导，督导的重点是教师的备课质量和授课能力，而对影响课程教学的其他因素缺乏反映，特别是不能反映学员学习态度对课程教学效果的影响。因此，督导工作应当在“扩大督的对象、增强导的效益”上求改进。质量监管机构是全面掌握教学质量、深入查找存在问题、系统分析改进对策的教学质量管理、咨询的机构，应当具有监管的权力和咨询的能力。首先，要成立专门负责机构。这次高校调整改革后，将教学督导的职能赋予教学考评中心。其次，要合理人员编成。在人员编组上应以机关人员牵头、专家人员为主混合编组，视所督导的专业灵活抽组，既保证监管工作的推动力，又保证监管工作的质量。高校督导队伍不是唯一的专家机构，一般还设有学科建设专家组、教材建设专家组等专项专家组织机构。因此，教学督导队伍，即教学督导专家组，主要围绕课堂教学开展相关工作。

## 第二节　教学督导队伍专业化发展机构与环境建设模型

我们周围有很多熟悉的组织形式，如企业组织、行政组织、教育组织、军事组织等。组织理论最初以工业组织为研究对象，后来逐渐扩展到其他组织之中。组织结构理论运用于大学组织的研究始于 20 世纪 60 年代。虽然时间不长，但在组织结构要素、组织要素间的关系及组织结构类型方面的研究都有一定的进展。所谓的“组织结构”，是指组织内部正式规定的、比较稳定的关系形式。传统的组织理论认为，组织结构的特征包括组织的稳定性、明确的相互关系、清晰的职权和严格的沟通渠道等，强调结构的客观性、非人格化和形式化等概念，这些被认为是最重要和持久的特点。当前，高校转型后面对新的培训任务类型、新的学科专业，首要问题就是师资队伍问题，特别是新专业、新课程教师不足的问题。近两年来，各院校通过各类渠道补充了很多新教师，但人员的增量没有赶上任务的增量和人才的流失，普遍反映教师数量不足与各项任务烦冗的矛盾日益加剧，特别是一些新成立的教研室更为突出，长期仅有两三名教师在岗，已经很难维持教研室正常运转及应付各类任务、会议等，有的教师仅是应付教学以外的任务就已经身心疲惫，难以保证教师能够潜心研究教学，提升教学能力和教学质量。这是当前制约院校教学质量最为关键的问题。大环境和实际情况要求院校教学督导工作进行改革调整，在机构设置和运行上有针对性解决以上问题。

## 一、环境因素模型参考

环境因素对高等院校教学督导队伍专业化发展机构与环境建设产生的影响，可以划分为三个层次：国际背景因素，以及国家政治、经济、历史因素，属于影响高校组织变革的宏观层次；社会环境、院校环境、学员来源作为教学督导队伍专业化组织变革的中观层次；高等院校自身文化因素和督导机构内部环境，是教学督导组织变革的微观层次。高等院校教学督导队伍专业化发展影响因素呈现为圈层结构。

由此可以推论得出，要想建设好高等院校督导队伍专业化发展的机构与环境建设需要关注综合因素，不仅要注意外部文化环境的影响作用，还要积极构建内部文化环境，将模型中的诸多因素进行科学合理的搭建，并对教学督导队伍专业化发展形成有效支撑。

## 二、组织机构模型参考

2010 年颁布的《国家中长期教育改革和发展规划纲要(2010—2020 年)》提出：“提高质量是高等教育发展的核心任务，是建设高等教育强国的基本要求。”2011 年教育部、财政部提出的《关于“十二五”期间实施“高等学校本科教学质量与教学改革工程”的意见》中指出：“引导高等学校建立适合本校特色的教师教学发展中心……重点建设一批高等学校教师教学发展示范中心。”2012 年教育部发布的《关于批准厦门大学教师发展中心等 30 个“十二五”国家级教师教学发展示范中心的通知》指出：“组织专家对中央部委属高校申报的国家级教师教学发展示范中心有关材料进行了评审，遴选出了 30 个国家级教师教学发展示范中心……批准厦门大学教师发展中心等 30 个教师教学发展中心为‘十二五’国家级教师教学发展示范中心。中央财政资助每个国家级教师教学发展示范中心500万元建设经费，在‘十二五’期间分期拨付。”同时，各省(区、市)教育行政部门纷纷要求高等学校建立教师教学发展中心，并着手组织建省(区、市)级教师教学发展中心。到目前为止，我国很多大学都成立了类似的教学发展机构。在对中、美教师发展中心进行比较的过程中发现，无论从发展时间还是发展模式、理念等方面，中国的教师教学发展中心存在一些不足与问题。2019年是教育部选定国家级教师教学发展示范中心的第8个年头，经历了几年的建设，中国的教师教学发展中心在向前发展的同时还要继续总结经验，不断完善，正所谓“大道至简，实干为要”。

目前，我国成立的教师教学发展中心存在两种组织形态：一种是独立实体机构，是校直属单位；另一种是多部门参与、挂靠某一组织部门的虚体机构。各高校对教学发展中心的组织定位也有所不同，主要有三种：一是学术研究组织，中心的职责是研究高校教师专业发展，并服务于教师专业发展，这类中心多设置(或挂靠)在高校的教育学院、教育研究院等；二是行政组织，中心的职责是开展教师培训、教学咨询、教育教学研究立项等，这类中心通常挂靠在教务处或人事处；三是协会组织，中心的职责是为教师教学提供技术辅导和支持，这类中心通常整合了大学的教育技术中心等公共服务机构。各教学发展中心主要围绕以下职能开展活动。一是教学培训。教学中心的教师培训要根据教师需求，提供教学理念和技能、研究能力和方法、学术道德和师德等方面的培训和交流，达到促进教师的职业发展，特别是教学能力和水平提升的作用。主要开展的培训有新教师、研究生助教岗前教学基本技能培训，在职教师教学发展培训，大学教师专题项目培训，各级教学管理人员业务培训等。二是教学发展研究。开展教学理论与实践研究、教师职业发展研究，组织教师开展专题研讨与分享活动，研讨教学问题，交流并分享成功经验；开展与国内外大学的研究与实践交流，借鉴国内外先进的教育教学理念、成功经验和有效做法，着重研究公共基础课和核心课程的教学内容更新、教学方法改革、教学模式创新；开展对基层教学组织活动的调研评估，加强教学效果测评和学生评教信息反馈，提高教学培训的针对性。三是教学服务。为需要的教师提供教学咨询、诊断与指导，进行个别辅导；为学校职能部门和专业学院提供教育教学政策的制定、实施、评价等方面的服务；通过课堂观摩、录像分析、微课教学、教学咨询、教学督导等为师生的教与学提供服务。四是教学评价反馈。教学评价反馈主要采用多种评价手段和方法来对教师教学进行教学质量评估，对学生进行学习效果评价，并将评估结果反馈给教师，由此帮助教师改进教学；注重加强对教师，尤其是中青年教师的业务水平、教学能力、教学效果等方面的考核、检查、评估和交流。五是教学示范与推广。以带动区域教学质量的总体提高为己任，充分发挥中心的示范作用，向其他高校推介教师发展中心建设模式，培训管理人员，向其他高校推广优质教学理念、教学手段和方法，推广最新的教学技术成果。示范中心的建设是为了引导高校建立适合本校特色的教师教学发展中心，从而满足高校教师的个性化、专业化发展和人才培养特色的需要。教学中心的建立及其开展的教师培训、教学研讨、教学质量评估，以及其提供的教学服务等一系列活动，强调了高等教育教学的重要性，是高校教学职能的归位，对于纠正高校重科研轻教学的现象有很强的现实意义。教师教学发展中心作为院校教学督导队伍专业化发展组织机构的新探索，是完善教学督导队伍专业化发展在组织层面的一次新尝试，是一个比较专业的高校教学督导组织。目前，军队院校在这方面的基础还较为薄弱，需要博采众长，以地方高校为模型榜样，参考借鉴成功经验。

### （一）组织目标及功能定位

组织的目的是使人与人之间、人与结构之间达到和谐与平衡，从而实现组织目标。组织目标的存在决定了组织的职责任务及组织的功能定位。教师教学发展示范中心，重在“教学发展”，提升教师，尤其是中青年教师和基础课教师的教学能力和业务水平。例如，四川大学教师教学发展示范中心的组织目标“致力教师教学能力发展，服务西南高等教育”；吉林大学则是“立足吉林大学，服务东北，辐射全国”；南京大学的建设目标是在全国起到示范性效应，并有效带动江苏省及周边地区高校教学水平提升。这些充分显示出中心在教学发展和示范两方面的作用。关于中心的功能定位，很多学校都没有明确指出，厦门大学明确将教师教学发展中心定位为教学促进和服务机构；北京大学将教师教学发展中心定位为服务性的学术机构，学术机构和管理机构相互配合；吉林大学指出教师教学发展中心是具有行政、研究和服务功能的综合性机构。这几种功能定位大体上也反映出教师教学发展示范中心的组织定位趋势：服务性、学术研究性、行政性和综合性。

此外，各学校对机构名称的命名也是对其功能定位的反映。名称不同，说明中心的功能和职能的侧重点有所不同。在 30 所学校中，有 18 所名称为“教师教学发展中心”，4 所为“教师发展中心”，2 所为“教学发展中心”，2 所为“教学促进与教师发展中心”，其余 4 所学校的名称又各有不同。可以看出，超过半数的中心采用了教育部文件中的“教师教学发展中心”或“教学发展中心”命名，而且其命名时间也多在文件出台之后。这些机构紧跟政策引领，着重体现“教学发展”这部分内容，凸显机构对教师教学能力和水平的重视。以“教师发展中心”命名的这类中心则是将教师教学发展作为中心发展的核心，兼顾教师专业发展、个人发展等多方面的统筹发展。其他几种机构名称或是延续了之前机构的名称，或是突显其重点发展职能。

### （二）组织架构

教学督导机构的独立是解决诸多问题的一个十分重要的对策，可以使其更好地履行自己的职责，不会受制于其他部门。机构独立的关键在于人事管理、财权独立。因此，将教学督导机构的独立细化为独立的人事管理与独立的财权。独立的人事管理，即独立的人事任免权，可以使教学督导机构的人员任用更加高效与专业，可以探索系统的独立管理模式，即由省级教育教学行政部门负责管理不同层级的教学督导机构，教学督导机构自成系统，其中的人员配置与人员流动可以经由当地教育教学行政部门与省级教育教学行政部门协商确立，这一模式可以有效保障教学督导机构正常化运作，为人员的流动创造了条件。独立的财权，是教学督导机构独立的一个十分重要的标志。在机构改革的过程中，应该赋予教学督导机构以独立财权，该机构的预算、工资全部是由上一级财政部门解决，这就保证了教学督导的公正客观。在现实情况中，没有独立财权的督导科室往往会为了一些奖惩措施的执行问题，将原本富有激励性质的奖惩变成空洞的口号式奖惩，导致教师对督导工作的不重视、不配合。在教学督导机构相对独立后，具体的机构组织要坚持科学化、合理化配置。

观察教学督导中心的组织情况，厦门大学等 8 所学校明确将教师教学发展中心定位为校直属机构或直属单位；有几所学校直接将教学中心定为正处级单位，如山东大学于 2012 年 5 月在学校内实行大部制改革中将“中心”作为处级单位挂靠新成立的本科生院，大连理工大学于 2011 年 9 月将“中心”从“副处级”转变为“正处级”并由主管本科培养的副校长直接领导，陕西师范大学在机构建设中明确指出学校按照正处级单位建制设置中心内的岗位；有 16 所学校在教师教学发展中心设置了下属部门，这种既有上层领导部门，又有下属部门的组织设置，构成了层次分明的纵向组织架构。大多数“中心”挂靠在学校的行政部门或管理部门，呈现出各部门相互配合的状态，说明了各大学对教师教学发展示范中心建设的重视。

大多数高校在教师教学发展中心下设置了下属科室，这些科室具有相互关联、平行设置的特点。观察 16 所学校对下属科室的设置情况，可以发现其数量主要集中在 4~5 个。

笔者在对上述 16 个教师教学发展中心下设的科室名称进行研究时，将与教学“质量”有关的词放到“评估”这类关键词中，将“教学研究部”“研究实践部”这类科室提取关键词为“研究”，将“办公室”或“综合办公室”的关键词设定为“办公室”。对上述 16 个教师教学发展中心的科室名称进行词频排序，得出“评估”“培训”“研究”“资源”“咨询”“办公室”“技术”这些关键词都是出现频率比较高的。各教师教学发展中心围绕这些方面都开展了大量工作，取得了良好的效果。根据教育部的相关文件，教师教学发展中心的主要任务包括“教师培训、教学咨询服务、教学改革研究、教学质量评价、优质教学资源提供、区域服务与引领”六个方面。因此，这些科室的设置主要体现了教师教学发展中心的任务要求，这种以任务为导向来设置下属机构的情况恰恰体现了矩阵组织的设置原则。

### (三)人员构成

在人员构成方面，大部分高校强调实行专职人员与兼职人员或者专家与管理人员相结合的人员配置制度。由于教师的教学发展需求具有专业性和不确定性，教师教学发展中心需要专家和兼职人员的参与。

1. 专职管理人员的设置

注重对专职人员的统计分析，是因为专职人员的设置对教师教学发展中心的发展起着关键性作用。中心专职人员的构成，既要具有组织和协调能力的管理服务人员，也要有复合型专业人员，即具有一定的教学科研经历、对教育教学或教师发展有一定研究。经过统计，有多个学校在教师教学发展中心设置了专职管理人员，名额集中在5~6人，其中有5个学校设置5名管理人员。这与前文对科室设置的统计结果相吻合，基本上每个科室都配备了一名专职管理人员。这种设置体现了因事设岗的岗位设置原则。

2. 专家队伍的建设

教师教学发展中心面对的是一个庞大的教师群体，这个群体既存在个性化发展需要，又存在共同专业需求，需要正确的指导，因此，各中心都重视专家队伍的建设。专家的数量和结构，直接关系到教师教学发展目标的有效实现。从专家人数的统计可以看出，有很多学校明确提出了本校教师教学发展中心的专家团队数量。其中，西南财经大学有教学咨询专家、教学督导专家、教学发展培训专家共178人，专家数目最多；北京大学其次，有专家共58人；西安交通大学最少，只有5名专家。各学校的专家以兼职为主，其中有些学校不止有国内兼职专家，还有国外兼职专家，如陕西师范大学有国内兼职专家26人、国外兼职专家5人。

3. 经费投入保障

各教师教学发展中心在前期已经投入大量经费用于中心的基础建设、专项拨款、日常经费、办公经费等项目。陕西师范大学的教师教学发展中心在前期已投入3 000万元。武汉大学的教师教学发展中心在2010—2012年，每年投入600万元用于开展教学培训、资源建设、教学研究、业务进修等活动。西南大学的教师教学发展中心在2010—2012年的财政预算分别是2 500万元、2 000万元、1 500万元。华南理工大学的教师教学发展中心已投入前期建设经费1 000万元，用于改善培训条件，开展相关培训活动。30所学校的教师教学发展中心被批准为国家级教师教学发展示范中心后，每个中心由中央财政资助500万元建设经费，并在“十二五”期间分期拨付。除中央财政经费外，北京大学教师教学发展中心运行和活动经费的来源还包括学校教学经费、985人才培养专项经费、教育部相关建设经费等，其经费需求为1 000万元/年。四川大学、哈尔滨工业大学则在中央财政的500万元建设经费的基础上，按1∶2配套，即学校出资1 000万元。此外，浙江大学、华中科技大学、华东师范大学等学校也明确提出学校将投入1∶1的配套经费。由此可以看出，各教师教学发展中心的经费需求有充足保障，对于以后中心各项教学活动的开展奠定了良好的经济基础。

## 三、生长发展模型参考

高等院校教学督导专业化发展需要在院校内部建立起专业化的督导教学机构，能有效形成校内教学质量保障系统。在各类组织机构中，教师教学发展中心区别于其他校内教学机构最显著的特点，就在于其内部的支持性，它之所以能够强有力地保障本校的本科教学质量，其原因可归结为院校教学督导队专业化生长发展的基本属性和模型特点。

### （一）学术性

教师教学发展中心引入学术性原则，是重塑教学学术、提升教学地位、弘扬教学文化的最佳实践载体。教学质量保障的关键在教师，教学发展是高校教师学术发展的重要基础，教学学术是高校教师专业发展的重要维度。教师教学发展中心是最适合承载教师教学学术形象重任的，以此平衡教学与科研的关系，从而在校内形成尊重教学、敬畏教学的文化氛围，使每一位教职员工都对教学有神圣感和使命感。

### （二）研究性

教师教学发展中心以教学研究为导向，引领教学改革实践，以此保障教学质量。教学研究来自教学实践，最终目的是为了变革教学实践，只有建立在研究基础上的教学改革才是真正适合自己的改革。通过教学研究，一方面洞悉教学实践中亟待解决的实际问题，另一方面也可在实践中检验教学理论的学术性和普遍性，从而提高教学质量，促进教师的专业化发展。

### （三）专业性

教师教学发展中心有专业的组织机构。专业化的机构职能以研究为前提，以促进教学学术发展为目标。有很大一部分学校将其设定为学校的直属机构，其目的就是为了弥补教学支持服务职能的缺失，使学校内部教学质量保障系统化、组织化。其组织化程度越高，其专业化水准就越高。

### （四）支持性

教师教学发展中心的支持性，表现在对教师和学生的援助、服务、咨询和促进等职能中。教师教学发展中心所传达的服务理念不同于管理理念，服务是提供支持、援助，作为服务对象的教师和学生处于主动地位，能够激发教师的教学热情和学生的学习动力，从而提高教学效果。

自洪堡创立柏林洪堡大学以来，确立了大学教学与科研相结合的理念，主张教学自由，奠定了现代西方大学的基本组织和管理框架。在德国实行的讲座制中，作为基层教学和科研单位的讲座就是以有利于科学研究和学术自由为目的来进行组织管理和权力分配的。教授是其研究领域中唯一一名讲座持有者，同时也是研究所的唯一负责人。德国大学的教学体现的是教授个人的意志，反映的是个体性教学的特点。美国大学在基层组织中分设了学系，系的权力比较分散，既有大学教学的研究性特点，又有教学民主的理念，将权力交给所有教师共享。这种强调教学的民主实际使大学教学成为由教师个人主导和控制的活动。教师可以根据自己的科研兴趣和价值倾向独立安排课程的教学内容及教学进度。因此，学生所接受的教育质量，在很大程度上取决于教师自身的判断力、价值观与态度。由此得出，美国大学与德国大学的教学在本质上都是教师的个体行为，具有个体教学的特点。个体教学是现代西方大学教学的典型特点。

我国大学的教学一直具有比较显著的集体教学的特点。对个体教学与集体教学这两种教学的特点进行分析，个体教学体现了学术自由的大学理念和尊重学术权力的管理风格；集体教学体现出了组织集中资源办教育的思想和集体的智慧。二者并不矛盾，是完全可以有机结合的。

## 第三节　教学督导队伍专业化发展机构与环境建设路径

高等院校教学督导队伍专业化发展机构与环境建设是一项系统工程。要加强顶层设计、完善制度保障、畅通机制运行，以实现对高等院校教学督导队伍专业化发展的支撑。

### 一、顶层设计

教学督导机构的专业化发展要先明确机构内部各部门的分工，针对工作性质和方向的不同，设立不同的督导机构。要对教学进行管理，就要设立校级督导机构来对教学目标、计划、设施配备等情况进行检查和指导。要对一线教学进行督导，就要设立院级的督导机构来对教学专业、方式方法等方面进行检查和指导。校级和院级督导机构在工作重点上是不同的，校级督导机构的工作重点是“督”，要以督促导；院级督导机构的工作重点是“导”，要以导辅督。由于工作重点的不同，督导机构应单独设立，由主管教学工作的副校长主抓，下设其他督导决策和督导执行部门，内部成员可以根据学校的具体情况选定。在学校中，可分为专业知识督导和教学工作督导，对专业知识做到严格把关的同时，赋予专业知识以最适合的教学方法。专业学科带头人、专业相关专家可组成专业督导团队，主管教学工作的副校长、教学科领导，以及教学经验丰富的老教师、名教师可组成教学督导团队。

教师教学发展中心想要做到中心统筹，就应根据教学工作的阶段性特点和实际存在的问题，为教师发展提供一个资源共享的平台，通过技术支持、信息发布、成果宣传与推广等方式方法，统筹安排各职能部门的工作。学校所有部门和教师的优质资源都可以放在这个平台上，使教师通过平台就能直接深入了解学校和教学过程。

想要把教学当作一种学术来研究，就要赋予教师以教学自由权，从而更好地促进教学学术的发展。因此，从院校的历史和传统实际出发，构建教学学术共同体，教师教学发展中心从教研室中汲取集体教学文化，采用教学民主、学术自由的理念，将集体教学与个体教学相结合。

传统的组织方式是按照学科领域将教师归类到相应的院系、研究所、教研室等组织中。这种方式考虑到这些教师拥有相同或相近的课程教学内容，因而更容易沟通交流，但忽略了教师在不同职业发展阶段的特征不同。教师教学发展中心将这些教师个体组织起来，促进通用性教学能力发展，组织其成为教学学术共同体。同时，也要考虑教师的学科，结合学科开展有针对性的教学活动，培育各类教师教学学术共同体。在教学学术共同体中，教师要以教学学术观念为指引，将教学作为一种学术研究来对待，重视教学，钻研教学。这就要求教师以本学科的认识论为基础，对在教学实践中存在的问题进行系统研究，找出其系统共通性，将研究结果公开与同行交流、接受同行评价，并此基础上构建新的教学知识。在学科制度背景下，高校教师工作的重点自然在各自的专业领域，同时注重学科教学方面的研究。对高校教育的研究仍然没有成为所有教师的基本职责，而是成为一个专门的研究领域。因此，其科研成果很难有效地指导或促进高校教师的教学工作。为了促进教师自身发展，院校教师必须重视对教学工作本身的研究，使学科教学研究与教学研究相结合。

## 二、制度保障

建立有效的教学督导制度，促进教学督导工作的规范化、制度化和专业化发展，是教学质量切实提高的制度保障。国内外一流高校的教师教学发展中心作为高校内部的、促进教师教学发展的特殊组织，其组织的良好运行离不开多方面的保障，主要可分为政策保障、组织保障、资金保障、人力保障、评估保障。目前，我国高校教师发展的资源大体都分散在教务处、人事处、工会、图书馆、评估督导中心和信息技术等部门，教师专业发展的任务不可能由教师教学发展中心一个部门单独来完成。教学学术共同体的构建需要注意理顺学校各职能部门的关系，在明确职责分工的基础上，通过中心统筹，各部门密切协同、相互配合的方式，开展教学促进和教师发展工作。高校中教务处、科研处、考评中心、图书馆和信息技术等部门要做到积极配合，协同工作。教学学术共同体就像一个系统，各部门就是这个系统的子系统，一个环节出现问题就会导致其他部门工作也出现问题。这就需要在各部门之间建立良好的组织机制和沟通机制，发挥教师教学发展中心矩阵式组织的结构优势，做好分工协作，力求沟通的畅通无阻，下达任务的有效完成。

## 三、机制运行

要想组织能够合理运行就需要有好的运行机制。在高校教学督导的实施过程中，督导的结果往往是学期结束或训练结束后汇总，然后通报总体的情况，有问题才去查询督导结果或意见。虽然便于操作，但失去了督导活动本来具备的及时反馈的作用。实际上，督导过程是一个及时反馈系统，即督导的结果要及时反馈到教学信息平台，最终实现教学系统的优化和稳定。如果没做到实时或及时反馈，教学督导就失去了对教学的修正或改进作用，督导就失去了本来应有的意义。例如，对课堂教学的督导来说，如果教师仅在本学期结束或下学期开始时才知道自己的督导结果，督导就只起到了评价的作用，对教师的教学无法产生影响。只有“督”“导”兼备，督导意见或建议及时反馈给教师，弄清问题所在，才能有效提高督导的效益。

在人员配置上，教师教学发展示范中心采用学术人员主导、行政人员支援的直线职能式运行机制。国内多数教师教学发展中心由管理教学的校长或学术高层担任主管，中间设置咨询或指导委员会，下设教学发展中心各职能部门，从而形成了直线职能形式的运行机制，对教师进行层层把关。在机构运行上，教师教学发展中心有的学校设在管理部门，有的学校设在研究部门，有的学校设在教学部门，利用专业型组织和科层制组织共同作业、多部门协调联动，从而构建组织的合理运行机制。北京大学等高校提倡建立多部门、跨部门联动机制，提出“学术机构和管理机构相互配合”。北京理工大学形成了“顶层设计、统筹规划、协同联动”的新工作机制。这符合矩阵式组织行政权力和专业权力相配合的权力供给要求。

从目前我国高校教学督导的实践来看，教学督导机构的设置由于学校的类型、开展时间的长短、领导的重视程度等因素表现出一定的差异，主要有以下三种模式。其一，独立设置的职能机构模式，将教学督导部门定位为高校行政管理系列中的一个独立机构，一般设置为学校直属的教学督导处(室)，是实行教学监控体系运行的职能部门，由分管教学的副校长或校级教学指导委员会主任直接指挥，并被授予具体的职权，直接负责制定监控体系所需的评估指标体系、方案、实施办法及相关文件，组织实施教学质量检查、调查及各项教学评估工作，对基层教学单位教学质量监控及评估工作的检查与指导，并按督导的结果组织实施改进方案。其二，独立设置的咨询机构模式，将教学督导机构设定为校级咨询机构，成为在主管教学校长直接领导下与教务部门密切联系而又独立于教务部门之外的督导、评估、咨询机构，是协助学校起监督指导作用的非权力机构，一般设置为直接对分管教学的副校长负责的教学督导委员会，与学校教学委员会并列。教学督导委员会由退休的、具有丰富教学和管理经验的、德高望重的老教授、老领导组成，下设若干学科组，独立开展工作，直接对校长、分管教学的副校长负责。这种模式下，教学督导机构虽然也负责制定教学督导所需的工作方案及实施办法，组织教学质量检查、调查及各项教学评估工作，但更侧重于收集各种信息，汇总后向校长或分管教学的副校长汇报，并为其决策提供参考和协助，再通过行政渠道去组织实施。在这一督导模式下，教学督导机构可以不受教学管理职能部门的约束，独立自主地开展教学督导工作，对教学过程实行全方位的监控。其三，附属设置的咨询机构模式，将教务处作为教学管理的决策系统，而院(系)是执行与控制系统，督导机构作为决策支持系统为教务处的决策起到参谋的作用，负责检查、评估院(系)教学工作落实和教师教学工作情况，实施日常教学检查和评估。此种模式的特点是获取教学信息及时、方便，与教学管理配合密切，有管理有检查，便于监督管理结果的落实和管理策略的完善。此种模式的主要功能是督教和院(系)一级的管理，功能单一，缺乏独立性，教师和督导人员都认为其是教学管理工作的延伸，督导作用发挥有限，主要表现在两方面。一是在督导工作中发现的涉及学校其他职能部门的问题难以解决。这是因为高校的教学质量管理，涉及教风学风建设、教学配套建设，而在我国高等学校的组织结构中，解决教学质量问题的职权分属学校各职能部、处。如果教学督导机构只是由教务处聘请的专家组成，依附教务处，虽然也能做不少工作，但督导人员不会受到重视，其作用的发挥也必然受到限制。二是对学校教务部门的督导作用不明显。教务处是教学管理的重要部门。教学管理规章制度的制定、教学管理与质量评估体系的建立，以及日常教学的安排等都与教务处的工作有密切关系，虽然教务处可组织督导人员研究并提出意见，但督导人员处于被动地位，教学督导机构对教务部门的督导作用也就不明显。

教学督导制度作为高等院校实施教学质量监控的一项基本制度，只有建立形式相对独立的运行体系，才能在制度上得到保证。因此，构建科学的教学督导运行体系十分重要。从目前高等学校教学督导机构设置与运行模式探讨教师教学发展中心的建立，发现教师教学发展中心面对的是庞大的教师群体，这个群体既存在个性化发展需要，又存在共同专业需求，需要正确的指导，因此各中心必须重视专家队伍的建设。专家的数量和结构，直接关系到教师教学发展目标的有效实现。教学评估是教学质量监管体系的重要组成部分。

当前，应着眼于促进高等院校长远发展和院校教学质量的不断提升，加快构建高等院校教学评估体系。一是要增加教学评估环节。教学评估对促进教学质量的提升有重要作用。院校教学应当在教学实施、考核环节之后增加教学评估环节，对主干课题、课程教学或某一教学阶段的教学情况进行评估，为开展下一步教学提供指导。二是要建立教学评估标准。评估标准是实施教学评估的依据。院校应根据不同专业、不同课程、不同性质等建立相应的教学评估标准。评估标准应由定性和定量指标组成，注重定量指标的构建，以提高教学评估的准确性和可操作性。三是要开发教学评估系统。着眼院校教育的未来发展，将大数据、云计算和人工智能等科技成果运用到教学质量评估中，根据教学评估的功能需求开发自动化评估系统，减少人为主观因素对评估结果的影响，提高评估结果的科学性。四是要用好教学评估结果。评估结果是对教学质量的鉴定，要充分利用好教学评估结果总结教学活动的经验教训，分析研究改进的对策措施，为教师改进教学提供指导，为院校领导进行教学改革提供咨询。

# 第六章　高等院校教学督导队伍专业化发展展望

随着高等院校教育事业的繁荣发展，督导体制机制不断健全、督导队伍日益壮大、督导实践异彩纷呈，教学督导队伍专业化发展在建设机制、业务能力、作用发挥等方面发展前景广阔。

## 第一节　教学督导队伍建设机制完善

高等院校教学督导队伍的建设发展越来越受到重视，必将逐步形成一套覆盖督导理念、督导机构、组织体系、管理机制和管理方式等方面较为完善的教学督导队伍建设机制。

### 一、现代的教学督导理念

理念是行动的先导，教学督导的专业化首先体现在理念的现代化。推进教学督导专业化，必须立足高等院校特点、面向未来发展，从传统督导理论和实践中汲取营养，积极吸收借鉴地方高校和国外先进经验，以新的发展理念和督导思想引领教学督导专业化。

首先，要坚决维护督导工作的价值。高等院校的教学主旨是为现代化建设培养专门的技术队伍，实现这一目标，离不开教学督导。督导工作做得好，相应的教学目标才能顺利实现。从学校运营管理的层面来看，督导制度的建立是为提高教学效率，特别是对教学实施的过程进行监督、引导。当前高校大多推行“三位一体”管理模式，督导是其中必不可少的部分。正因如此，督导实践活动被教育主管部门认可，并明确提出要强化督导作用、发挥其引导职能。强化督导价值的领导力。所谓的“领导力”，即能够统一学生、教师的认识，把握价值发展趋势的能力，树立正确的价值理念，加强相关思想观念的宣传工作。

其次，要进一步厘清教学督导的职能，实现督导的多元化和多样性。目前，教学督导涉及的范围过于庞杂，工作边界还不够清晰。教学督导的专业化应体现在工作的专职化，明晰督导工作的主职主业，做到有所为有所不为。同时，要根据教育事业发展的需要，灵活运用日常督导、综合督导和专项督导等多种方式，探索将外部督导与内部自我评估相结合，不断提高督导的公信力和实效性，强化督导的服务性和指导性作用。

最后，要更加重视教学督导的专业性。教学督导的实施，取决于督导主体的专业精神和专业知识。一是应倡导基于标准和证据的督导。科学制定督导标准，避免督导的主观性和随意性，使督导有据可依、有规可循，提高督导的科学性。二是要提高督导人员的专业化水平。尽管高等院校教学督导人员普遍具有丰富的教育教学和管理经验，但在现代督导方法和技术方面还需加强培训，从而形成一支高素质专业化的督导队伍。

## 二、独立的教学督导机构

督导工作的特殊性使其具有独立性，能够确保工作开展时不受外部因素的影响，进而实现了结果的公平、客观。然而，督导机构的设置在很大程度上会影响督导工作的独立性，甚至其权威性也会受到影响。高等院校的教学督导机构不是独立的部门，基本上都是挂靠在教学管理职能部门(如教务处)，依据其工作安排开展督导活动，形成了“自己监督自己”的现象，有失公正性与权威性，其监控力度与监控效果不可避免地受到某种程度的限制。

设立相对独立的教学督导机构，使其在分管教学副校长的直接领导下，是与教学管理职能部门密切联系而又独立于外的督导、评估、咨询机构，是协助学校履行监督指导职能的非权力机构。在这一督导模式下，教学督导机构可以不受其他管理职能部门的约束，独立自主地开展教学督导工作，从而对教学过程实行全方位的监控。这种相对独立的教学督导机构，在全校师生心目中树立了客观公正的形象，既可以督导教师、学生，也可以监督教学管理部门及其工作人员，客观地反映各院系及师生的意愿，成为上下沟通的桥梁。这种作用是学校其他职能部门无法替代的，更有利于督导功能的发挥。

这类督导机构直接对校长负责，直属学校领导，相对独立、权威性强、认可度高。

相对独立的督导机构为督导人员树立了行政权威，督导人员可与校领导直接联系汇报情况，既有权威性又有灵活性，督导工作的开展受到重视且结果也易落实，教学管理与教学督导两条线结合紧密、针对性强，对应急问题的处理能力较强，使督导工作获得更大的成效，对提高教学质量也最有效果。因此，高校应将督导部门与教务处分离，以制度形式授权督导部门开展督教、督管、督学工作，教务部门、各教学院系都要自觉接受督导部门的检查、监督、评估和指导。

## 三、完善的督导组织体系

### (一)校院两级教学督导体系

高等院校应建立健全校院两级教学督导组织体系，在学校层面要建立专门的校级教学督导小组，在各院系也要建立相应的教学督导小组以配合学校教学督导小组开展督导工作，院系教学督导小组可以作为学校教学督导小组的完善和补充。作为校级的教学督导小组，其工作主要是对学校整体教学状况、专业建设、教学管理等方面进行监督、指导和评价。校级教学督导队伍的成员一般来自各院系不同专业领域的老专家、教授及相关行政部门负责人，他们对工作极其认真负责、公正廉明，这种配置有利于消除学校教育督导队伍在专业教学督导上不合理的认识偏差，确保专业教学督导及管理评估的科学性。院系级教学督导小组落实学校教学督导小组的整体工作部署，对本院系教师的教学行为、课堂教学质量开展以评价为主的督导工作。

校级教学督导小组成员应由各院系的主要领导、相关学科专业带头人、部分退休教师等组成。院级教学督导小组则主要来自本院系负责人、本专业教授、博士、学科专业带头人和骨干教师，他们对本院系的教学组织状况及教学的具体实施过程十分了解，能对本院系的各学科建设、课任教师教学、教研室科研工作、课堂教学情况等工作进行较为细致的督导，发现的问题如果不能及时自行解决，需要学校出面协调的，可以在统一整理汇总后上报给学校教学督导小组。学校教学督导小组可以采取蹲点的方式到各院系开展教学督导工作，更好地衔接院级与校级教学督导小组开展督导工作。因此，虽然校院两级教学督导小组的基本职能都可以归结为监督、检查、评估和指导，但校级教学督导小组的对象是全校的教学及教学管理，目标是维护并提高全校本科教学水平，其开展的督导工作具有跨度大、涉及面广、综合性强的特点，应以督为主、以导为辅。院级教学督导小组的对象是本院的教学及教学管理工作，相对校级教学督导工作而言具有涉及面窄、专业性和事务性强的特点，其督导重心是日常的教学，督导以监督和指导为主要手段，应以导为主、以督为辅。

### (二)高教研究与督导工作相结合模式

高教研究与督导工作相结合模式，就是把高教研究与督导工作紧密结合起来，利用督导体系建立的问题平台和信息网络，使高教研究更好地为本校改革发展服务。具体来说，就是将高教研究机构与督导机构分别独立建制，合署办公，通过监督、检查、评估等日常督导发现学校教学组织、管理、实施过程中存在的问题，针对这些问题进行总结、分析、研究，找出原因，提出对策，供学校领导和职能部门参考。这种模式，一是可以为高教研究提供更为广阔的研究平台，督导人员在进行督导工作的同时，也为高教研究工作提供了丰富的研究素材，使高教研究工作真正融入学校的办学实际，服务于本校的管理和决策；二是有助于提高高教研究的效能，全校教学工作方面的信息和问题不仅为高教研究工作提供素材，而且遍布全校的督导网络也为研究工作提供了信息交流与反馈的畅通渠道，有效提高了高教研究的工作效能和水平；三是有利于高等院校督导工作水平的提高，借助高教研究人员的力量，借鉴高教研究已取得的成果和研究方法，不断提高督导人员的理论水平和研究能力，从而使教学督导部门能够更好地发挥其宏观监控、指导的作用。

## 四、成熟的督导管理机制

建设专业化教学督导队伍，要推动形成“严格准入、择优聘任、系统培训、强化考核、注册管理”的选拔任用管理机制。

首先，建立健全督导队伍准入机制。细化和提高各级各类教学督导人员的任职标准，建立公开招聘制度，严格选拔专业化程度较高的教学督导人员从事督导评估工作。建立教学督导人员资格证书制度，申请人须持有证书才有资格应聘督导人员岗位。在选拔时，要通过笔试、面试等考核程序，设立半年至一年的见习期，考核和见习期通过后才能正式聘任为督学。所有聘任的督学都需要注册管理，并向全社会公开信息，接受监督，并且每三年要进行考核或考试，通过者才能继续担任督学。

其次，优化督导队伍结构。一是优先聘请教育管理工作者、教育政策评估专家及教育法律法规专家。他们有着丰富的教学和教育研究经验，掌握着现代化教育管理技术和评估方法，对教学督导法制化建设有着深刻认识。二是优先聘请高学历人员。美国、英国、法国等一些督导体系较为完善的国家，一般要求国家督导人员的学历为硕士及以上。在学历水平上，美国有41%的学区督学具有博士学位，因此，要扩大硕士及以上学历人员在教学督导队伍中的比例。

最后，通过系统培训提升督导队伍专业化水平。尽快出台全军院校教学督导培训大纲，指导各地科学规范开展培训工作。构建多元培训体系，实行分层分类培训。针对新入职督导人员、有经验督导人员等处于不同发展阶段的督导人员，开展不同类别的培训，形成从新手到教育家式督学的成长体系。要重点开展现代化教学督导理论、现代督导方法和技术的培训，采取线上与线下相结合、理论与实践相结合、集中与分散相结合、长期与短期相结合的多元培训方式，不断提高培训效果和质量，形成高素质、专业化的现代教学督导队伍。

做好教学督导人员的培训工作是高等院校教学督导制度完善的关键一步。在学习的客观条件下，学校要为督导人员的学习、训练创造“工作—学习—研修”的良好氛围。教学督导人员要加强自我学习，在工作中加强学习，并将学习的内容运用到实践中，不断提升个人的工作能力。高校也要给予教学督导人员一定的奖励，使其保持工作积极性。要牢牢树立素养第一位的培训理念，并将其贯彻到具体工作中，具体来说有以下措施。

第一，根据实际情况制定措施，否则措施无法实施，也是一纸空文，只有在此基础上，日常化的教学督导人员培训才能顺利开展。此外，为了更好地激发教学督导人员的工作热情，还应制定奖惩制度和学习计划，并制定个性化的目标，做到有奖有罚。

第二，培训内容更加丰富，要结合参与培训人员的年龄、学历，以及人员对培训的预期，制订有针对性的培训计划，从而确保培训效果。培训内容要多元化，从而确保受训人员的工作技巧、理论知识都获得提升。此外，培训不仅是知识的传输，更重要的是对理念、能力的培养。外部环境是不断变化的，所以，培训本身也应当紧跟时代发展的步伐。

第三，培训形式要多元化。在训练过程中，一定要充分调动受训人员的积极性，并且采用多种多样的培训方式。此外，为受训人员搭建交流平台，通过分享、对话实现思维的碰撞，这样才能扩宽思路。

第四，培训理念要紧跟时代变化，才能实现效率提升。外部环境是不断变化的，因此，培训本身也应当紧跟时代发展的步伐。而效率的提升则需要培训者和受训者共同努力，相互配合，并依托现代化的培训设备，特别是用好互联网技术，让受训人员在网络上了解信息，甚至搭建专属督导人员的网站，方便受训人员随时在互联网上发表自己的所思所想，借助网络平台提高交流的效率，也提升受训者的工作能力。

对督导人员的培训工作包括职业认识培训和业务能力培训，二者相辅相成、缺一不可。

首先，开展职业认识培训。加强督导人员对督导工作认识的培训，有助于督导人员端正自身的工作角色和树立正确的督导意识，使教学督导人员真正意识到他们不是教师专业人员，而是专门从事某种专业技术工作的人员。虽然教学督导人员也必须懂得教育、教学规律，要有丰富的教育教学经验，也要经常深入课堂听课，但他们是以指导者、评价者的身份出现，不直接进行教学工作。同时，教学督导人员也不是学校管理人员，而是教育领域内另一类的教育管理人员，其对学校管理工作进行监督、指导，但不是直接管理学校的人员。实际上，督导人员是具有专业性的教育行政人员。在我国《教育督导暂行规定》第三章第八条规定："行使教育督导职权的机构应设相应的专职督学，其任免按有关国家行政机关人事管理权限和程序办理。"

其次，加强业务能力培训。我国是从 1988 年才把定期举办培训班作为一种制度确定下来，并编订了培训教材。督导人员培训机制的确立为我国督导队伍素质的提高提供了现实基础和制度保障。《教育督导暂行规定》第十二条规定："督学应接受必要的培训。"因此，高等院校的督导人员也必须接受培训，但目前的培训多停留在教育政策法规、教育评估方法等方面，这无疑限制了教学督导人员的专业化发展进程。可以开展各种形式的例会，包括研讨会、经验交流会、座谈会、工作例会等，不断提高教学督导队伍自身的素质，建立适应环境的学习型团队。然而，多数高等院校教学督导组织培训经费短缺，不但制约了督导组织的扩大，而且严重影响了高等院校教学督导队伍的发展。因此，可以考虑从教师培训经费中划拨一部分资金，作为教学督导人员的培训专项经费；也可以让高等院校教学督导部门根据教学督导队伍的实际培养情况，通过多方科学论证，编制督导预算，并向高等院校所属上级主管部门申请年度或季度的教学督导队伍培训专项经费，各高等院校主管部门应该在充分调查研究的基础上，下拨定额的教学督导队伍培训专项经费并保证其落实。同时，高等院校教学督导部门应制订详细的教学督导队伍培训计划，明确专项培训经费的适用范围与金额，力求在专项培训经费的使用上做到科学合理。

## 五、先进的督导管理方式

《中国教育现代化 2035》明确提出要加快信息化时代教育变革。教学督导现代化离不开督导手段和方式的现代化。教学督导应采取线上和线下相结合、远程和实地相结合的方式，通过多样化的评估手段，创新督导评估方式，实现全方位的科学督导。

首先，提高教学督导运行的信息化水平。在督导评估过程中，充分利用现代信息技术手段，运用信息化数字平台进行督导评估。将现代教育技术与督导相结合，构建“互联网+”督导评估的数字平台，形成“现场数据上传—数据分析—数据评估—结果反馈”的数字化和可视化路径。基于数字化平台，打通中央、省、市、县、学校之间的数据共享道路，实现信息交流和评估结果的实时性。

其次，推进教学督导管理的智能化趋势。一方面，要实现档案管理的电子化。在数字平台发布督导评估的相关政策文件、评估标准，并将督导结果和相关材料上传到数字平台，实现档案管理的无纸化。这样既能降低督导成本，又提高了督导的效率和质量。另一方面，要实现督导结果的智能化处理。通过大数据建立的分析模型和统计结果，科学比对和预测，智能化地发现教育问题，主动推送整改通知、发布预警信息，不断提高教学督导的精准度和智能化。

## 第二节　教学督导队伍业务能力突出

随着高等院校教学督导队伍专业化建设的发展，教学督导队伍将形成以人为本的督导理念、与时俱进的督导意识、综合协调的能力素质和科学合理的队伍构成。

### 一、督导理念以人为本

在教学督导实践中，既要继承督导工作的一些好传统、好做法，又要将先进的现代管理科学、行为科学、人文科学及先进的技术手段运用到督导工作中来，不断更新教学督导的思路、手段、方法，增强队伍的权威性和督导工作的科学性、预见性和可操作性，用新思路、新观念、新方法去指导实践，推动督导工作的切实开展。

教学督导的根本目的不是找出教师的问题，而是帮助、促进教师改进教学，提高教学水平，因此督导队伍要树立“以人为本”的理念，在具体工作中要坚持从教师的角度出发，进行换位思考。充分认识到教师渴望被专家肯定、被学生尊重，从而实现自我价值的积极性，把督导工作从原来的以检查、监督为主转为以鼓励和提倡为主。教学督导人员要秉持向教师学习的态度，怀着去发现好的教学典型和总结成功经验的愿望，了解教学改革工作中的好经验、好做法、好典型，听取师生对教学工作的要求、呼声和意见，诚心去发现、总结和推广优秀教师的教学经验，与教师一起探讨教学中存在的问题及原因；摒弃去监督、去检查、去考察的心态，在评教中以同行的身份出现，尊重教师，平等待人，与人为善，以谈心的方式、商讨的方法，以共同研究切磋的精神，做到启发点化、引导激励，使教师心悦诚服地接受意见。必要时，教学督导人员还要进行授课演示，把自己的教学经验毫无保留地传授给青年教师，也有利于从任课教师的角度发现问题，更好地与教师进行交流和沟通。教学督导人员根据听课内容、听课中发现的问题将相关信息反馈给任课教师，教学督导队伍给出的意见通常是集体交流、评估后的结果，从而确保整个交流过程更有针对性，并实现有效沟通。教学督导队伍在发现问题的同时，也要及时地发现任课教师在教学实施过程中的一些优秀做法，特别是成功经验，并将这些内容加以推广，可以组织教研室的教师集体听课，也可以邀请优秀授课教师以讲座或座谈会的形式将自己的经验加以分享。

教学督导人员应革新传统的督导观念，改变原有的督导工作方式，增强以服务为中心的意识，逐步由监督检查型向指导服务型转变，帮助教师认清自身教学的长处与不足，并引导其改进不足之处。在督导实践中，教学督导人员应强调“导”的主导作用和“督”的辅助意义，对少数教师在教学工作中存在的问题，有针对性地制定指导方案。指导方案的制定，应考虑到不同教师的教学特点、知识程度、传授方式和性格特征等差异，制定出的方案既要切实有效体现出人文关怀，又能帮助教师解决教学工作中存在的实际问题。同时，教学督导人员应该做好传、帮、带的工作，经常开设与增强教学能力、提高教学质量相关的示范讲座、学术讨论和其他活动，使教师真切地感受到督导人员对自己的指导、培养与关怀，减轻教师由“督”带来的压力和逆反心理，让教师在“导”的关怀中自觉地改进教学工作，提高教学质量，从而巩固教学督导队伍的权威性。

## 二、督导意识与时俱进

教学督导队伍要紧跟时代步伐，不断增强自身的学习意识、服务意识、创新意识和交流意识，不断解放思想、更新观念、学习新事物、了解新情况。教育者要先受教育，只有先当好学生，才能当好先生。在高等教育督导工作的发展中会不断出现新变化和新情况，督导队伍中多是退休教师和干部，在接触和学习有关教育教学文件时，往往滞后于在职人员，这就需要增强自主学习的意识。要深入学习习近平新时代中国特色社会主义思想和强军思想、党的二十大报告中的教育方针，以及学校相关的规章制度和规定等，学习兄弟院校开展教学督导工作的经验，以明确方向，规范行动。要注意在督导工作实践中学习，学用结合，不断总结提高。要建立学习制度，坚持集中学习与分散学习相结合，以分散个人学习为主，定期组织专题讨论，使学习与研究相结合，求真务实，在提高自身素质的基础上，促进教学督导队伍整体素质的提高。

教学督导人员不是居高临下的“钦差大臣”，而是教师的良师益友，教学督导的目的就是要通过对督导对象的督促与指导，帮助教师总结教学经验和教训，改进教学工作，不断提高教学质量。从某种意义上说，教学督导就是一种服务。因此，要加强每一个教学督导人员的服务意识，把教学督导的出发点与落脚点放在服务上，坚持从“督”入手，在“导”上下功夫，针对不同的对象，具体问题具体分析，与被督导对象平等商讨，摒弃“我指导，你接受”的旧思维，经常换位思考，设身处地地为督导对象着想，理解他们的心态。对于教学工作中存在的问题，教学督导人员不能以一种批评指责的态度来对待，而是以自身较高的学术水平、丰富的教学经验及高尚的人格魅力，使教师心悦诚服地接受指导，相互交流，共同切磋，推动教师更新、充实教学内容，改进教学方法，提高授课水平，增强课堂教学效果。教学督导与教师的关系应是平等、融洽、合作、相互信任的关系。在督导过程中，教学督导人员要牢记自己是为督导对象服务的立场，晓之以理，动之以情，以理服人，情理相融，只有这种良师益友般的切磋与指点，才能让被督导者欣然接受，督导工作才一能取得最佳的效果。

创新意识是指人们根据社会和个体生活发展的需要，引起创造前所未有的事物或观念的动机，并在创造活动中表现出的意向、愿望和设想。创新意识是人类意识活动中的一种积极的、富有成果性的表现形式，是人们进行创造活动的出发点和内在动力。在高等院校教育改革的新形势下，院校教学工作将面临更多的矛盾和问题，这就要求教学督导队伍建设必须与时俱进，教学督导人员要转变观念，努力成为能力强、水平高的引路人，以及研究型、创新型的教育专家。当前，要树立以下几种新的教育观念：一是整体教育质量观，使高等教育致力于让学生的创新精神、实践能力、健全人格、鲜明个性及合作精神等方面素质都能得到培养和发展；二是树立自主的教育观，倡导建立平等、民主、和谐的新型师生关系；三是树立个性发展的教育观，尊重学生个性，特别要注重对学生创造能力的培养和创造潜力的发挥；四是树立新的人才观，面向现代化、面向世界、面向未来，培养出具有世界眼光、能够参与全球竞争的高层次国际性人才，具有创新精神与创新能力的创造性人才，以及具备良好的科学和人文素质、适应能力强、一专多能、各方面协调发展的高素质、多样化人才；五是树立新的学习观，要求教师要养成不断学习的习惯，将创新作为“为师之道”的核心。

教学督导机构是沟通、协调学校与各教学单位的重要渠道，教学督导人员要经常通过座谈、通气、谈心、讨论等方式，听取学校各方的意见，通过沟通、协调，传递信息，通报情况，让学校进一步了解各教学单位的情况，也让各教学单位能更深刻地理解学校的各种意图，使教学工作得以顺利开展。交流意识对每一个督导人员来说都是必不可少的，只有通过交流，才能增进理解、增强凝聚力，促进各种问题的及时解决。此外，教学督导工作要定期召开督导工作交流会，对业务理论进行学习讨论，交流体会，以总结教学督导工作的得失，提高督导人员的业务素质，还要加强高等院校间有关教学督导工作的交流和研讨活动，以促进和提高各高校教学督导工作的实效。

## 三、能力素质综合协调

### (一)品德高尚，责任心强

教学督导人员应有崇高的精神境界和内在素质，有正确的世界观、人生观和价值观，热爱高等教育事业，尊重社会公德和国家法律，积极践行社会主义核心价值观。引导教师努力提高职业道德修养，增强使命感、内驱力，在乐教中体现人格魅力，实现自身价值，自觉为提高教学质量和学生进步创造性地工作。教学督导员要有强烈的事业心和责任感，要有高尚的职业道德和崇高的敬业精神，要有良好的工作作风，丰富的教育教学经验和公平公正的形象。教学督导人员既要坚持原则、严守纪律、依法督导，又要掌握方法，灵活运用；既要遵循教育教学规律，又要结合具体实际开展工作；既要敢于提出批评和指出问题，又要善于正确引导和正面激励，在教学督导工作的权威性、科学性、公正性和客观性得到充分体现的同时，促进教学质量的不断提升。

### (二)博学睿思，一专多能

教学督导人员必须有能力统筹多个专业的教育教学工作，能正确和精确地解决某一专业教育教学问题。教学督导人员都是从教学岗位或教育管理岗位上选拔和推荐上来的，都有某一方面的专长，具有扎实的专业基础知识、熟练的专业实践技能、丰富的科技前沿知识。他们可以触类旁通，通过学习掌握相近专业的一些基本知识，成为一专多能的督导，从而在教学听课中和教学检查中获得更好的效果。

### (三)尊重教师，爱护学生

在学校，教学督导人员接触最多的是教师和学生，获取教育教学信息最多的也是教师和学生。在广泛的接触中，教学督导人员将这些信息筛选处理、归纳加工、分析研究，将有用的信息汇报给教育管理部门或学校领导，能有效推动教育教学改革，提高教学质量。要做到这些，尊重教师和爱护学生是基础。要关心教师的教学和学生的学习成长，要了解他们的个性和思想，要解决他们学习和生活中的困难，和他们成为知心朋友；要与教师、学生平等相处，甚至先当学生后当导师，决不能以督导自居；要公平公正地处理师生在教学和学习中发生的问题。

### (四)洞察力敏捷，交际能力强

教学督导人员工作的内容涉及教学模式、教学管理、培养方案、第一课堂教学、第二课堂教学、实验教学、实践教学、实验室建设等方面。因此，教学督导人员必须具有敏锐的观察能力，能够从纷繁的事务和多变的现象中概括事物的本质，在错综复杂的关系中找出产生问题的根本原因，并对其进行细致的分析和判断，找出解决问题的办法。另外，教学督导人员要善于与人打交道，有一定的协调能力；要乐观向上，性格开朗，平易近人，不摆架子；要注意尊重他人，经常换位思考，有高度的服务意识和较好的说服他人的能力。只有这样，才能使教师和学生乐于接近，才能与教师和学生平等和谐地交流，使被督导的教师能够接受意见，有效地促进教师教学水平的整体提高，以及学校教学改革的推进和办学水平的提升。

### (五)敢于担当，善于创新

作为教学督导人员，必须与时俱进，具有敢于担当、善于创新的意识。现代高等教育发展日新月异，社会对教育教学的要求不断发生变化，教学督导人员的思路、任务、范围、职责、评价标准等也要随之更新。在教学督导实践过程中，既要继承督导工作的一些好传统、好做法，又要将先进的现代管理理念和手段运用到督导工作中来，不断更新督导的思路、手段、方法，增强督导工作的科学性、预见性。

## 四、队伍构成科学合理

### (一)教学督导队伍的职业结构

高等院校教学督导队伍中应有对教育的政、教、学方面都较为专业的人员，从而在教学督导工作中，既有专门对教育管理工作进行督导的，也有专门对教学活动进行督导的，最终使教学督导的各项任务得以顺利实现。理想的教学督导应是深厚的学科专业知识、较强的教学研究能力和丰富的教学管理经验融于一身，是教学研究专家、学科专业教授和教学管理专家的“三统一”，这样的教学督导队伍方能胜任教学督导工作。

### (二)教学督导队伍的专业结构

教学督导人员的专业结构是否合理在很大程度上影响督导工作的正常开展。总的来说，在选聘督导人员时，要充分考虑学校各学院、专业的实际情况。目前，各高等院校发展速度很快，专业数量急剧增加，如果按专业选聘督导，督导队伍会过于庞大，机构会显得臃肿。因此，应采取以学科分类的方法，按不同的学科种类组建督导队伍。

高等院校教学督导队伍的构成应该是专兼结合，专职督导人员保证督导工作的相对稳定性和权威性，兼职督导人员保证督导工作的相对灵活性和全面性。教学督导队伍构成中应该有各种专业的督导人员，而且应该具有较深的专业造诣和丰富的教学经验，这样才能在督导中发现问题、提出问题，并及时给予正确指导。按照各高等院校多年的实践经验，专职督导一般从符合要求的具有高级职称的退休人员中选聘，兼职督导则应从各院系(部)学术水平较高具有高级职称的在岗教师中选聘，或从教学管理职能部门中教学管理经验丰富的在岗管理干部中选聘。无论是对专职督导，还是对兼职督导，均应实行任期责任制。

### (三)教学督导队伍的年龄结构

高等院校教学督导队伍应该是老、中、青相结合，充分发挥各自的长处，实现优势互补，以使教学督导工作更加和谐、更加有效。目前，很多高等院校的教学督导人员多为返聘的退休教授，主要是因为退休教师的时间比较充裕，对于保证听课次数，扩大督导范围非常有利，但退休专家在教育教学观念和督导方式上与青年教师存在一定的差异。因此，对于教学督导机构人员的构成应该是专职工作人员与返聘退休人员相结合，不仅要有资深的老专家，还要有中青年专家。

## 第三节　教学督导队伍作用发挥显著

随着高等院校教学督导专业化建设的发展，教学督导队伍在维护教学秩序、监控教学质量、培塑教师能力、协调教学关系、畅通反馈渠道、参与决策咨询等方面发挥的作用日益显著。

### 一、维护教学秩序，监控教学质量

教学督导制度的根本任务是加强教学质量监控，其核心是为了保证和提高教学质量，促进教学管理的规范化。教学督导制度作为教学质量保障体系的重要组成部分，可以监控教学的全过程，确保教学质量的稳定和提高，规范教学管理，严肃考风考纪，促进学校教学工作的改进和完善。教学督导制度在高等院校教学管理中具有独特的地位，其功能和作用日益显现出来。

教学督导制度的首要功能就是对高等院校日常教学工作进行监督指导，起到规范教学的指导作用。一方面，教学督导专家按照有关的教育方针、政策和法规，以定期听课、检查实践教学和组织教学观摩的形式督导与评估教学，并及时总结、交流、推广教学经验，对确保教学质量起到了重要的作用，对学校教学活动进行监督和检查，了解教学运行的有关状况，发现问题，提出意见，督促及时整改，并积极推广在教学督导过程中发现的先进经验，积极推动学校的发展。另一方面，教学督导制度可以预防教学事故的发生，促进教学管理的规范化。在一般情况下，教学事故是违反教学规范的行为，同时也暴露出学校在教学管理制度方面的不健全或不完善。所以，教学督导制度在一定程度上可以对教学环节的各个方面的规范化管理起到积极的促进作用。

实践证明，教学督导制度对教学质量的监控功能是多方面的，一是教学督导专家深入教学第一线，随堂跟踪听课，对教师在课堂上的教学态度、教学内容、教学方法、教学手段、课堂秩序等进行测评；二是教学督导专家对实验、实习、毕业论文等实践教学环节中的教学准备、实际操作、能力培养等方面进行测评。这些都可以有效、实时地监控学校的教学质量，提高学校的教学和管理水平。

## 二、培塑教师能力，协调教学关系

高等院校教学督导是教学质量管理的一个重要环节，只有建立一支高效精干的督导队伍，让其成员深入教学第一线随堂跟踪听课、评课，并对教师教学态度、教学内容、教学方法、教学手段、教学艺术水平、课堂秩序等进行督导，才能对教师产生良好的鞭策作用，促使其在教学上投入更多精力，有利于增强教师的责任心、进取心，变压力为动力，防止出现应付性讲课，才能促进教学的规范化，确保每节课的授课质量，发挥着强化教学管理的作用。

加强教学督导队伍建设旨在让教学督导人员在跟踪随堂听课、指导试讲、指导实践教学时，把“督”与“导”结合起来，从而保证教学目标的实现。教学督导人员在课后面对面地与教师就授课状况进行交流，充分肯定其成绩，实事求是地指出不足，中肯地提出改进意见，这对规范教师，尤其是青年教师讲好每一节课，做一名合格的教师起到良好的导向作用。

教学督导人员都是某一学科的专家，在督导过程中，与教师交流教学方法，探讨学科前沿，及时指出教师的优缺点，便于帮助教师看到和承认自己的不足，正确评价自己，处理好教学与科研、教学与学习的关系。教学督导专家参加青年教师试讲和授课观摩等活动，对一线教学情况进行监督和指导，较好地发挥了监控教学质量的作用。专家随堂听课后，及时与被督导教师谈话，肯定成绩，指出不足，提出改进意见，给青年教师施加适当的压力，可以有效促进青年教师业务能力的提升，更好地为学校教学服务。

教学督导人员按照一定的质量标准，对教育过程各个环节进行监督、检查，对教师的教学质量进行评价，进而进行指导。这一督导过程对提高教师教学能力有重要作用。教师教学能力不仅指传授知识的能力，还包括指导学生进行研究性、探索性学习的能力等。因此，教学督导工作是提高教师教学能力的根本性措施，教师迫切需要教学督导的辅助来提高自身的业务能力。

## 三、畅通反馈渠道，参与决策咨询

### (一)紧密联系领导和教师

在信息反馈功能中，需要建立快速有效的信息反馈系统，形成一个迅速反馈的信息循环系统。掌握教学信息是教学督导制度的重要基础，教学督导专家起到上传下达、通畅渠道的纽带作用。在督导工作中，将其掌握的各种教学信息及时传递和反馈，不仅有助于各种问题的及时解决，还可以使学校各部门之间增进理解和交流，协调和改善教学中各方面的关系，促进教学活动的顺利开展。

加强高等院校教学督导队伍建设，能够确保教学信息的全面、客观、务实。教学信息是教学督导的重要基础，教学督导人员深入教学第一线督导、巡视、检查、评估，收集整理和分析各类教学信息，建立信息档案，并通过适当形式及时进行反馈，这实际上是在学校领导和教学第一线教师之间架起了一座桥梁，起到联系领导和教师的纽带作用，达到与教师、领导沟通的目的。信息的沟通和及时反馈可以促使教师不断改进教学，从而不断提高教学水平，还可以使行政管理部门及时掌握教学情况，对教学的改革和建设进行正确的控制。

### (二)帮助领导正确决策

在高等院校系统中，教学督导组织作为教学管理系统中的参谋机构，属于决策支持系统，应该直接对校党委、校务委员会负责，与各院系、教学管理职能部门分工协作，独立开展督导工作。在整个教学管理系统中，教学督导并不直接拥有教学管理的决策权、执行权，而是处于从属地位，可以利用各种方式和途径去帮助、影响校党委、校务委员会等决策者，以及各院系执行者，但并不能代替决策者和执行者实行决策。虽然教学督导组织没有直接组织教学，也没有直接参与教学管理，但是它以促进学校教学质量的提高为目标，以服务教学和教学管理为宗旨，通过信息收集的手段，充分发挥其在反馈、督促、参谋、评价和指导方面的作用。

教学督导机构承担着对教学工作进行监督检查、反馈信息、提出建议并对有关问题进行咨询和指导的责任，具体来说包括：对教学运行全过程进行评估，实时把握教学工作运行状态，及时向决策机构反馈信息，根据高等教育发展的规律与趋势，结合学校教学工作运行的实际情况，向学校决策机构提供改进建议。教学督导组织与教学管理系统中的决策机构、执行机构之间形成良性互动机制是保证并逐步提高教学质量的关键。

教学督导制度不仅能够对教学质量进行监控，还可以对学校的重要决策起到一定的参谋作用，充分发挥智囊团的功能。教学督导人员在深入教学第一线的过程中会发现很多与教学质量有关的问题，收集到大量的教学信息，经过分析、筛选、传递和反馈到学校有关部门后，既可以为领导决策提供科学依据，也可以督促相关部门完善工作。教学督导人员将发现的带有共性的热点问题(如教风、考风问题等)确定为研究课题并进行深入的调查研究，从教学工作的表面现象中找到问题的实质和解决问题的策略，对学校的发展起到咨询参谋的作用。

# 参 考 文 献

[1] 赵康. 专业、专业属性及判断成熟专业的六条标准:一个社会学角度的分析[J]. 社会学研究,2000,15(5):30-39.

[2] 教育部师范教育司. 教师专业化的理论与实践:修订版[M]. 北京:人民教育出版社,2003.

[3] 涂尔干. 社会分工论[M]. 渠东,译. 北京:生活·读书·新知三联书店,2000.

[4] 刘文君. 美国现行教学督导系统及其特征[J]. 比较教育研究,2007(7):12-16.

[5] 顾明远. 外国教育督导[M]. 北京:人民教育出版社,1993.

[6] 何家银. 英国教学督导工作研究[J]. 重庆城市管理职业学院学报,2015(4):60-63.

[7] 高实,刘生然. 英国资格与学分框架中督导员制度的内容与标准探析[J]. 职业技术教育,2017,38(23):73-76.

[8] 苏君阳,陈伊凡. 新中国成立 70 年我国高校教学督导制度的演进与发展历程[J]. 北京教育(高教版),2019(10):42-45.

[9] 蔡君. 对高校教学督导队伍专业化建设的探讨[J]. 佳木斯教育学院学报,2012(8):76.

[10] 段芸,唐俊. 高校教学督导队伍建设及其专业化发展研究[J]. 科技信息,2011(23):163.

[11] 倪宏昕,苗苗,夏晓雷. 我国高校教学督导队伍专业化建设研究述评[J]. 煤炭高等教育,2008(2):53-55.

[12] 苗苗,倪宏昕,夏晓雷,等. 普通高校教学督导队伍专业化制度建设研究[J]. 当代教育论坛(管理版),2011(32):9-10.

[13] 乜晓燕,雷鸣,王强. 中国高校教学督导研究[M]. 哈尔滨:黑龙江大学出

版社,2014.

[14] 贺德春,王万斌. 高校教学督导队伍建设研究[J]. 河西学院学报,2017,33(5):124-128.

[15] 蔡锋. 高等学校教学督导队伍建设探讨[J]. 黑龙江科技信息,2007(20):170.

[16] 乔丽敏. 高校教学督导队伍专业化内涵分析[J]. 吉林农业科技学院学报,2016,25(3):51-53.

[17] 潘有志,阳艳群,李卫华. 高校教学督导存在的问题及其改进[J]. 桂林航天工业高等专科学校学报,2010(1):60-62.

[18] 苗苗,刘清华,夏晓雷,等. 理念、方法、效能:高校教学督导队伍专业化建设探析[J]. 高教发展与评估,2009,25(6):69-73.

[19] 吴忠诚. 我国高校教学督导队伍建设现状与对策[J]. 中国成人教育,2008(23):136-137.

[20] 寇尚乾. 教学督导促进高校教师专业发展的机制探析[J]. 黑龙江高教研究,2011(7):83-85.

[21] 刘玉. 高校教学督导效果影响因素分析[J]. 高校教育管理,2011(6):75-80.

[22] 许秀英. 谈高等学校教学督导队伍建设[J]. 佳木斯大学社会科学学报,2010(3):99-100.

[23] 林凯芳,唐毓秋,郑奕雄. 高职院校教学督导队伍建设若干问题探讨[J]. 清远职业技术学院学报,2011(6):97-101.

[24] 刘雨. 新时代高校教学督导制度困境及其破解[J]. 黑龙江高教研究,2020(9):44-48.

[25] 汪彦,刁胜丰. "双一流"背景下地方本科院校教学督导的能力提升路径探索[J]. 产业与科技论坛,2022,21(6):249-250.

[26] 古翠凤,刘雅婷. 系统论视角下新时代职业教育督导队伍建设研究[J]. 教育与职业,2020(16):12-19.

[27] 崔晨秋,马良军. 高职院校实践教学督导队伍建设的目标与途径[J]. 工业技术与职业教育,2013(2):27-29.

[28] 房京,滕宁,阎文建. 军队院校教学督导的实践与思考[J]. 军事交通学院

学报,2020(8):62-65.

[29] 徐斌.高校教学督导制度研究:以D大学为例[D].广州:华南农业大学,2016.

[30] 方建宁.高校教学督导现状及其队伍建设研究[D].南京:河海大学,2007.

[31] 黄秦辉.法国:教育督导助推质量提升[N].中国教师报,2018-06-27(3).

[32] 李志平,黄萍,丛军,等.新建本科院校内部督导内容和作用研究[J].教育探索,2006(7):39-40.

[33] 涂文涛.教育督导新论[M].北京:人民教育出版社,2015.

[34] 黄崴.教育督导学[M].北京:中国人民大学出版社,2011.

[35] 于慧.我国教育督导工作专业化探析[J].教育发展研究,2009(C2):16-19.

[36] 王桃英.教育督导专业化的政策性探讨[J].现代教育管理,2009(3):59-62.

[37] 胡仁东.改革开放40年来我国教育督导:制度、经验与走向[J].中国人民大学教育学刊,2019(3):20-44.

[38] 王璐.英国现行教育督导制度的机构设置、职能范围与队伍建设[J].比较教育研究,2013,35(10):34-38.

[39] 韩烨.加强教育督导队伍建设的国际经验与启示[J].北京教育(普教版),2019(8):98-100.

[40] 胡志玲.高校教学督导专业化建设效果评价的实证研究:以××高校为例[D].南昌:南昌大学,2015.